JN125264

小林一三著

私の見たソビエット・ロシヤ

發行所
東寶書店
1936

昭和十年十月モスクワにて　著者

ロシヤに入国してホテルに泊まると、自分の写真を持ち合わせないお客様は、指定の写真屋で写されて、人相書の代わりに警察署へ提出される。これはその時の写真である。

モスクワ河を隔てて、クレムリン宮殿を望む

☆

中央城壁前レーニン廟、その背後クレムリン宮殿

モスクワの中心たる「赤の広場」

「赤の広場」行進中の運動祭行列（毎年五月挙行）

モスクワのホテル・メトロポール玄関先より、国防会議所（中央小建物）、コミンテルン会議所（向って右）を望む

モスクワの「政府の家」（上級官吏の為のアパートメント）

モスクワの「文化と休息の公園」で氷滑りに興じる子供達

モスクワ郊外の労働者カフェ

ドニエプル水力発電所における堰堤

☆

凡例

◉本書は、昭和十一年に東宝書店より刊行された『私の見たソビエット・ロシヤ』を復刊したものである。

◉原則として原本の旧字・旧仮名遣いを新字・新仮名遣いに改めたが、人名は旧字のままとした。

◉読みやすさを考慮し、ルビを加除するとともに、必要に応じて送り仮名を付した。また、漢字をひらがなに改めるなど、適宜表記の統一を行った。

◉目次の頁番号等は本書に合わせたものであり、原本とは異なる。

◉明らかな誤字脱字は修正したが、現在では不適切とされている表現については、当時の時代背景を考慮し、原本どおりとした。

自序

僅かに半ヶ月露西亜を旅行しただけで、不可解であり、秘密の多いあの大国について、彼是、意見がましいことをいうのは、むしろ、無謀であり、大胆極まる話であることを、私はよく承知している。

およそ、ソビエット・ロシヤに対して、専門的に研究を遂げている、外交官や、駐在武官の如き、該博の知識と、経験とを持つ人々は、その抱懐するところの意見は、恐らく片鱗すらも公に述べ得ないのであろう。またこの国に関係を持つ実業家の多くは、公平に批評することすら、その立場において不可能である。通信員並びに新聞記者諸君はロシヤ官憲の同情と、好意とを得るにあらざれば、その駐在が許されないのであるから、その筆勢はどうしても隔靴掻痒（かっかそうよう）の憾（うら）みあることは免れ得ない実情であろうと思う。即ち、知り得る人は語る能わず、語り得る人は知り得ないものであるとせば、たまたま、私の如き無責任――というのではないが、比較的自由の立場にある旅行者として、長くこの国における各方面の人々からの御厚意による、あらゆる見聞は、これを記述し、広く国民大衆に御報告することは私の与えられた義務であり、尽すべき責任であるように考えたのである。

思うに、ソビエット・ロシヤに対する我が国の執るべき方針は、国民の重大関心を持つべき国策として、充分に考慮せなくてはならぬ時、もし万一にも、本書に採るべき点ありとせば、それは、私に、見聞の機会を与えたる、諸君子からの御教示の賜物であり、その観察に間違いありとせば、すべて私の誤解である事を明白にしたいと思うのである。敢えて人を誣ゆるにあらず、自ら顧みて責任の大なるを信ずればである。

昭和十一年三月二十五日

小林一三

目次

装幀＝浅田潤

赤露半月記

この国の秘密

モスクワを中心として北欧、南欧、中央アジア等、世界交通の大道であったロシヤは、革命後、鎖国主義を厳守してから、この国の事情は、霞を隔ててものを見るように判然しないだけに、何人(なんぴと)からもうす気味悪く想像せられている。そしてその批評も、悲観と楽観とまちまちであるようだ。私は昭和十年十一月十五日朝モスクワに着いて、北はレーニングラード、南は黒海に近いドニエプル地方を視察して、三十日朝再びベルリンに帰るまで、僅かに半ヶ月の滞在であるから、ロシヤを見たとはいうものの、よしのずいから天井をのぞく、程度であることは勿論である。しかし、この国に七、八年もいた二、三の人達や、革命の当時から今日までいろいろに苦労して生活して来たこの国の人の打ち明け話や、出来得る限りの人々からの見聞に没頭して、えがき得た私の想像は、果たしてその秘密を明らかにし得るだろうか。また、実際この国は、そんなに、秘密の国であるだろうか。

およそ秘密の国には神秘的の幻影が伴うから、そこに人々の好奇心を唆るのであろう。かつてマルコ・ポーロは東インド、支那方面を旅行して、スペイン女王に捧呈した報告の中に「さらに東方に日本という国がある。その家屋の屋根は、すべて黄金の板をもって造られている」という風に、想像をたくましゅうするところに面白味があるのである。

徳川幕府における大方針であった鎖国の日本は、十七世紀の時代の覇者であったオランダ、スペイン、ポルトガル等諸国の冒険者に、どれだけ好奇心を持たしたことであろう。その若者達の胸を躍らした「東へ東へ」のスローガンは、やがて日本の開国を余儀なくせられ、新しい思想とその文化とは、滔々として潮の如く我が日本を席捲したものである。大勢はどうすることも出来ない。この国の秘密主義も、いつまで厳守され得るか。その門戸開放は、いつになったらば出来得るだろうか。しかしこの国の秘密には、神秘的の幻影よりも、お伽話のような朗らかな伝説よりも、恐怖と戦慄が暗示され、蝙蝠が盛んに飛び、悪魔が天の一方に嘲るような舞台装置が思われる。実際そんなに怖い国であろうか。

女は必ずスパイ

写真機も、地図も携帯してはいけない、女に近づくなかれ、女は必ずスパイである。今この国にいる日本人は、毎月多少の出入りがあっても大概七十名くらいは滞在している。そのうち奥様と同棲している人が二十名、その他の五十名は独身であると同時に自然に恋人が必要である。そしてその結果は滑稽と悲惨とで終わるのが常例である。即ち本人がいよいよ帰国ときまると、汽車に乗る前日まで甲斐甲斐しく世話をしてくれている女が、出発の当日になると、自分のものは勿論、男のものの目ぼしいものを持って姿を消すのであるから――今さら荷造りしたトランクを改める暇（いとま）もなく、男は悄然（しょうぜん）としてモスクワを去る。またある女は、男のものは勿論自分の所有品すらもありのままに放置して、突如として行方不明になる。この二様の不思議なる失踪は、スパイにあらずして何ぞやというのである。

そして、なお不思議なのは、平素平均七十名内外しかおらないと思っている日本人が、各種の大会があって、大行列が繰り出す時は、その中に少なくとも、二百名くらいの日本人が顔をそろえている。何という不思議な国であろう。この種の想像はあまりに子供らしいものも事実である。ともかくも秘密の国だけに、何かしら好奇心をもって充たされている。私もその一人であるかもしれない。

他国の人がこの国を知らざるよりも、この国の人は断じて他国を知ることは出来ないのである。外交関係の公人よりほかに、外国に旅行し外国を見聞することは勿論許されない。外国の書籍新聞雑誌の輸入は禁じられている。そして自分達の読む新聞雑誌は、すべて政府または共産党本支部または国営各種団体から発行されている宣伝紙のみである。その著書もまた政府の認可を受けたもののみである。即ちこの国の人民には、まだ読書の自由も思想の自由も、なんにもないのである。「依らしむべし、知らしむべからず」というのが、政府の方針なのである。

私は十一月十五日朝モスクワのサヴォイ・ホテルに着いた。革命後十八年間修繕の行き届かないうす黒く汚れている市街家屋と、いずれも満員である、三両連結の電車と、乗り合いバスと、無軌道電車と、それから両側の人道をウヨウヨするほどこみ合って往来している綺麗でない服装の人々を見て、自然に涙のにじみ出るような心持ちがした。そして、この国に着いて第一の質問は「なぜこんなに大勢の人が押しあい押しあい往来するのですか」といったのであった。「この国のあらゆる仕事は、すべて国営である。湯屋の三助(さんすけ)まである意味においてはお役人である。政府の仕事でないものは淫売屋だけであるから、何かしようとすれば許可がいる。その手続きをするだけにも、あすこへゆけ、ここへゆけという工合(ぐあ)いに往復する必要がある。この一月まではパンを買うのにも、お金があればそれでよいという訳にはゆかない。パンを買う権利を持つ切符をもらわなければならなかったのである。そのくらい手数が面倒なのである」という説明であったが、一方にはまたすこぶる簡単なる結婚の手続きは、恐らく世界一であろう。

女の待遇と簡易結婚

革命直後、女子の解放と、生児の国有と、貞操観念に新説を謳われたこの国の性教育の実情は、それほどひどいものであるだろうか。この国の人の説明にいわく、

「親を知らない生児があったとしても、その子供は早くすでに十七八歳になっている。世界戦争から引き続き革命騒ぎ、父母ともに行方のわからない人があったのに何の不思議があろう。ソビエット政府は、その生児を成育するのは当然の義務であった。たまたま新政府は、女子のために男女同権を主張し、男女同権ならしめんとせば女子に職業を与えざるべからず。職業を与える以上は、生児保育所、児童受託所等の設備は勿論必要である」と。

プロレタリヤの女の全部は、必ず何等かの職業を持って働いている。同時に女に対する待遇は、実によく行き届いている。妊娠の場合には、如何なる理由があっても、政府は現状を維持せしむる義務がある。産前二十日から休養し、出産は必ず出産所に入院する。勿論無料である。産後七日目には退院し得るように産褥（さんじょく）中の手当てが新式に完備している。そして産前、産後三ヶ月間は、休んでおっても給料がもらえる。出産入院の手続きは、必ずしもプロレタリヤの婦女子のみに限らない。誰でも無料で入院が出来て、同一の保護を受けることが出来る。女を尊重する点においては出産のみではない。婦人としての権利は、結婚の自由とその選択とによって現われている。

この国の国民は、必ず誰でも自分の写真入りの戸籍帳ともいうべきパスポートの下付を受けて、それを持っている。このパスポートを持たない人は、住宅も与えられなければ職業を得ることも出来ない。ここに相愛の男女はそのパスポートを持って、結婚登録所にゆき、三ルーブルの手数料を仕払えば、直ちに相互のパスポートに何月何日結婚登録済みという記入を得、自今男の姓を名乗るべきか、どちらでもよい。入婿でもなければ嫁入りでもない。相談づくでどちらかの姓を名乗ることを記入する。その資格は男女ともに年齢十八歳であればよい。親が反対であろうとも、そういう事は問題でない。出産の時は、男女いずれか一人がパスポートを持って、三ルーブルの手数料を仕払い登録を受ければよい。離婚の場合には、そのどちらかが反対であってもよい、夫婦の話し合いがまとまらなくともよい。三ルーブル仕払えば、一方の申し出によって離婚登録を受け付けるから、その記入を得れば片付くのである。この場合結婚登録所は直ちに相手方に対し、離婚登録済みの通知を発送する。ただし子供のある場合には、男が扶養の義務を負担することという条件が去年から付加された。扶養の方法について話がまとまらなければ、裁判の結果によるのである。

結婚登録所をのぞく

　モスクワには十ヶ所の結婚登録所がある。私はホテル・サヴォイ付近の登録所を視察した。普通町家の古い建物の入口を入ると、客溜まりともいうべき一室があって、すぐその隣の十坪足らずの一室の両隅に、テーブルが一つずつ置かれて、そこに女の事務員が二人、一人は結婚係、一人は産児係、いずれも二十五六くらいの上品な賢そうなインテリ婦人である。丁度私達がいる時に、一組のお客様が来た。男は二十歳の学生で、相手は十八の女中らしい女であった。型の如くパスポートを調べて、それに記入する。女はこれから男の姓を名乗るべきことを事務員が読み上げる。それにサインして三ルーブル払って出てゆく。この間十分足らずに片付く。しかも男女ともに外套も帽子もそのまま、まことに手軽に、このくらい簡単な方法は、世界中どこにもないだろうと思った。

　この若い学生が出てゆくと、こんどはまたとても大きい、でっぷり肥えた四十ぐらいの男と、年上の未亡人らしい、かつてはブルジョアの階級らしい婦人と連れ立って来た。ポケットから、パスポートを出す手がいたいたしいような、おずおずしているので、私ですらも凝視するに忍びないように感じて、この部屋を出て隣の離婚室をのぞいてみたが、ここには幸いにお客様が一組もおらなかった。部屋の一隅のテーブルに、泰然として巻煙草をくゆらしていた女事務員の微笑に送られて、その部屋を出ると、入口の広間の待ち合いには、職工らしい一組の男女が待っていたが、私達毛色の変った異人種の存在を、怪しむ如くに眺めていた。私は毛皮の外套に頭を半分つつんだまま、乾いた砂糖のような粉雪の降る中を、醜業婦矯正所を訪問すべく街に出た。

宣伝ニュース

二十六日発行プラウダという共産党第一の機関新聞に面白い記事が載っている。『ここはある高等女学校である。今日は優秀生の学芸会の当日であって、彼女達のほこるべき何物かが披露されて、詩や、歌や、ヴァイオリン、ピアノ等が拍手喝采に送迎されて、最後に現われたこの学校のナンバー・ワンとして、二十歳あまりの娘さんが、質素な服装に黄金の波打つ頭髪を無造作にたばねて、つくろわざるも自然が持つ愛嬌に親しむべき美人であるが、ピアノの独奏につづいて、ソプラノの独吟に満場を酔わしめたのである。冬の日は早く暮れて、街には電燈が輝いている。プロフェッサー某は学芸会の今日の出来栄えに満足して、心持ちよく校門を出づる時、自分の自動車の行く手に、ソプラノの彼女を見出した。雪がチラチラと飛んで来る。如何にも寒そうだ。彼女が毛皮の襟巻の代わりに、色褪せた赤地のショールを三角にして襟をつつんでいるのを見て、自ら同情せざるを得ないのである。

「お帰りか、送ってあげよう。私の車にお乗りなさい」

とプロフェッサーはドアを開ける。

「先生、私は歩く方がよいのですから」

「寒いでしょう。そら御覧なさい、そんなに寒いのを辛抱するにはおよばない。風邪を引くといけない。早くお乗りなさい」

と彼女が顔を赤らめて、ためらいつつあるのを、無理からに乗せ、自動車を走らせたのである。娘の住居であるという方向に車を走らせてゆくと「ここでよろしいのです。

有難う御座いました」と娘さんのいうがままに、プロフェッサーは車を停めて、いたわって降ろしてやりながら、ふとこの家の入口の看板を見て驚いた。そこには「醜業婦矯正所」と書いてあるからである。プロフェッサーは、彼女が毅然として佇立（ちょりつ）し、姿勢正しく鞠躬如（きくきゅうじょ）として見送っているのを見て、心から敬意を表すべく、博士もまた厳然として公式の態度を取って別れたのである。』

と、これはいつもある手だそうだ。

共産党の機関新聞であるプラウダとしては、我々の政治が如何に完備されつつあるか、醜業婦すらも、政府の温かい手によって、かくの如く美化されつつあるのであると、事実の有無はともかくも、宣伝としてはこの種の三面記事は正に優秀なものであろう。私はこの話に興味を持って、矯正所を訪問したのである。

矯正所を訪う

モスクワには矯正所は一ヶ所しかないが、ソビエット・ロシヤ中には十六ケ所あるといわれた。この矯正所は何という町であるか忘れたが、四階建の相当広大なるもので、入口の扉を開けると、そこには丸形の甲帽（かぶとぼう）をかぶった女の巡査が見張りをしていた。私達は二階の事務室にて、いろいろの説明を聞いた。現在収容している婦人が僅かに二百三十名しかないのは、一面においてモスクワには醜業婦のないという証拠である。いやしくも一人の失業者を持たないソビエットの誇りであるといわれた。今日までこの矯正所によって救い出されて新職業に従事している女の数は、二千五百人以上で、その多くは幸福なる結婚生活に転向している。そのうち母として健全なる子供を持っている婦人は百二十名ある。

「この国は男女同権であり、殊に婦人の意思を束縛しないのが原則であるから、政府としては有り得べからざる醜業婦を認めることは出来ない。帝政時代にはこの種の婦人には黄色手帳（こうしょくてちょう）を渡して、毎週一回検査を断行して来たものであるが、現在もし、誤ってこの醜業を密行するものありとせば、パスポートが貰えないから、忽（たちま）ちにして住むに家がないことになるので、そういう不心得の女はないものとしている。そこで、この矯正所は本人の自然の申し込みによってのみ収容するので、断じて強制しない。

同時に飛び込んで来るものは何人も拒まない。一文の経費もいらない。一視同仁の愛をもって、彼女らを健全なる立派な婦人に教育するのが、この国の大方針である」

というのである。話に多少矛盾の点があるようだが、そんなことはどうでもよい。私達は案内さるるままに館内を巡視した。病気の手術室は大きくて、さすがに綺麗であった。音楽室や、小さいながら舞台を持つ食堂や、図書室や、そして作業所には、ミシン台にて仕立ものをするものや、糸繰りや、そういう仕事で、狭い一室に五六十人も働いておったが、人相のわるい醜婦のみであったが、広いいくつかの寝室にところどころ横臥（おうが）している病婦人は、美しい可憐の若い女のみであるのも不思議であった。彼女達にて編成しているオーケストラもあるとのこと。思うに失業者の一名もない国であっても、この矯正所に飛び込んで来るのは、病毒に悩み果てた結果であるかもしれない、と考えながら私は案内者にお礼をいうてここを辞去した。

私はこの国に来るまで、革命によって帝政時代のブルジョアの末路はどうであったか、彼等の現在の生活はどうしている、という点について無知識であっただけに、私の質問の回答は、人によってまちまちであり、一致しない点があるとしても、その縮図は悲惨というよりも、いささか滑稽味の多かったのが面白いと思った。

一九一七年二月、即ちケレンスキーの革命によって、ロマノフ王朝栄華の最後の幕は閉ざされたと見てよろしい。ニコラス皇帝は欧州より退軍の汽車中において、すでに早くその退位を声明し、ウラジミル大公によって局面開展を企てた。その弥縫策すらも到底不可能である事を知悉（ちしつ）したブルジョア階級の多くは、出来るだけ早く資本逃避のあらゆる計画が実行されつつあったのである。陛下並びにその周囲の貴族は、ただ成り行きを傍観するよりほかに策はないとしても、富豪階級はひたすらに資産の安全のみに狂奔して、英・米・仏方面に極端なる資本移動を実行したために、ケレンスキー内閣は当初から英・仏の諒解と、資本主義の社会組織を否定し得ざる立場において、富豪階級の後援を得たものの、それが何等役立たぬ運命において、その没落を早めたものであるから、いわゆる十月革命の共産主義の旗印がこの国を席捲しはじめた、その八、九ヶ月の間に、彼等の大多数はこの国を去って英・米・仏に避難したものである。然らばその資産はどうなったか。私はここにおいて富豪の資産なるものについて一笑を禁じ得ないのである。その国の富豪の資産なるものは、その国の平和なる存在によってのみ資産であって、革命に伴う亡国の立場においては、その資産なるものは僅かに資本逃避に基づく外国証券と外国への預け金と、外国で処分し得る金銀宝石等に限られたもので、由来ロシヤは債権国にあらずして有名なる債務国であるのみならず、帝政時代にはユダヤ人を排斥して、首都は勿論モスコーにすらも宗教上の関係から、その居住を許さなかったのであるから、世界の経済界に重要性を持つユダヤ人との取り引き関係は絶無であったために、この国に存在した外国証券なるものは政府銀行所有の分よりほかになかったといい得るのである。その銀行所有の外国証券すらも、ケレンスキーの時代よりも前に早く数字を消していたという話である。従って外国への預け金と金銀宝玉よりほかに何にもない。土地家屋と、この国における資本主義事業代表の有価証券は全部没収せられたのであるから、その有価証券が――（実は共産主義の天下に急変しようとは思わなかったから）、その有価証券を命よりも大事に持って逃げたものである。しかもその全部が反古になったのであるから、彼等の大多数はいわゆる裸で道中を余儀なくされたものである。即ちその頭株はあるいは外国預金を持った人もあったであろうが、結局は金銀宝石よりほかになかったとすれば、その数量は知れたものだといい得るのである。何億円の資産家だとか何とかいわれておったものの、平和なる国家存立の場合においてのみその数字は役立つだけで、一朝にして旧組織が破壊さるる場合には、その資産なるものは紙に書いた牡丹餅にすぎないのである。帝政時代のロシヤの富豪階級なるものは、彼是百五十万人といわれているが、約一万人の有福なる大頭株を除き、あるかなきかの運命のままに英・米・仏に日影の生活を辛うじて維持し得つつあるというのである。それよりも、早く転向して旧来住みなれた家、維持し得る動産、気軽なる中産階級の大多数と、事業に直接関与しておった実務家、技術家等は頭株が代わっただけで、即ち大株主や金融業者の指揮の下にあったものが、この度は赤の頭株の命令を受けるというだけで、この中産階級のサラリーマンは一番早くに安定した、という話である。

ある職工の言

階級なき新社会の建設が、この国の旗印であることは、今さらいうまでもない。

一億六千二百万人の国民を、旗本二百万人――近ごろ精選して共産党員たるもの僅かに六十万人、準党員と見なさるるもの百万人によって、共和制連邦組織により選任せられたる代表者によって政治が行わるるのであるが、実はそれも表向き、実際は共産党員中有力者数十名によって、この大国を左右しつつあるのである。

彼等の作らんとする階級なき新社会とは何ぞ。しかも、お膝元の軍人には、元帥（げんすい）あり、大将あり、お役所にも大臣あり、局長あり、しかしそれは階級にあらず、統制に必要なるお役目の看板であって、その精神は無階級なりというのである。

それについてある職工が、私の知っている日本人に対していった文句が面白い。

同じ人間に私の国は男女同権であり、四民平等である。私がウンと勉強すれば五百ルーブルの収入は直ちに与えらるるのであるが、この五百ルーブルは各省大臣の月給と同額である。私達の大将は、何人も五百ルーブルより多い給料をむさぼらない。その生活は私達同様五百ルーブルでやってゆくのである。

すこぶる真面目であるだけに、この国の労働者は実際可愛いと思った。

不思議なルーブル

彼等は五百ルーブルというそのルーブルが、同一価値のものであると信じきっている。しかしこの国のルーブルくらい不思議なものはない。およそ一国の貨幣価値は、人によって変わらず、物によって異ならざるところに値打ちがあるのであるが、それは資本主義の国においてのみ通用する議論であって、すでに一国経済の根本義は、生産と消費よりほかにない。資本は不必要であると同時に、それに伴う貨幣の如きものは勿論必要でない。ただその理想の新社会を作り上げるまでの過渡期においてのみ、止むを得ず一時の便宜法として貨幣を持つのであるから、その貨幣価値なるものも、生産と消費を円滑ならしむるためには、どういう風に取り扱ってもよいのである、というのが、この国の主張であるから、ここにおいて、ルーブルの価値なるものは、人により、物により、ところによって異なっているのである。実にウマク考えたものである。

クレムリンの宮殿におさまっている政府大官の月給五百ルーブルと、労働者の受け取る五百ルーブルと、またその労働者中のあるものの受け取る五百ルーブルと、私達外国人たる旅行者の使う五百ルーブルと、そのいずれもが違っているから面白いのである。

　政府大官は五百ルーブルの月給にて如何に生活し得るか。広壮なる邸宅は官邸である。出入りの自動車リンカーン号も、その運転手も官費である。クレムリン官庁の食事代は、一ルーブルと形式的の定価はあるが、山海の珍味なしと何人か断言せん。そこには広大なる舞台すらもあって、アカデミック大劇場に、軽々しくお忍びの出来ない大官連と、その新夫人のためには、あらゆる俳優楽人を動員して、オペラもバレーも、出張興行の自由は、何とか大会の余興や、南欧独立国の珍客接待を名義として歓楽の機会を作ること易々(いい)たるものであろう。私はここにおいて罪のなき一挿話を捨てるに惜しきを如何せんやである。

影も日向もある

この国の冬は永く、どんよりとした灰色の空につつまれているので、五月の青空と、若葉、緑葉、発溂として満目の原野森林を一新する時こそ、我も人も郊外に遊んで、積日の鬱を散ずるのに誰に遠慮のいるべき。美しき高級車に乗って、うら若き女優を侍らせ、モスクワ川の水の流れに沿うて、ドライヴすること何十マイル。たまたま労働者の一群に逢着すると、車中の紳士を見知りの人ありと見えて「オ、我等のカリニン氏よ、健全なるかな大統領閣下」と騒然として万歳を叫ぶものあり。顧みて他をいうの暇もなく、さすがのカリニン氏もほうほうの体にて、幸いにその場は逃れ得たるも、口さがなき流言蜚語（りゅうげんひご）が、はしなくもスターリンの耳に入ったからたまらない。「閣下、色を好む豈（あ）に英雄の轍（てつ）を踏まんや、憾（うら）むらくは、閣下、今や中央執行委員長として、任の重きこと正に九鼎大呂（きゅうていたいりょ）の如し。ソビエット連邦共和国の中央執行委員長は、とりも直さず大統領にして、その栄職は国民の尊敬と、その信頼とを担うことによって過ちなきを期せざるべからず。しかるに閣下……というは表向き、君いい加減にしないと困るではないか」と叱責せられたのである。

スターリン氏は、役目こそ僅かに中央執行委員会の書記長であるけれど、この国第一人者のピカ一であるから、カリニン氏も頭が上がらない。笑って答えず、倉皇（そうこう）として隠れたり、という下馬評があるくらいに、大官連には影もあれば日向もあり、五百ルーブルというが如きお金の数字はどうでもよいのである。

極楽を夢みる

人によってお金の価値の異なれるは、世界中に恐らく、ただこの国あるのみである。生産と消費のみによって、一国産業の土台を作るのが目的であるから、理想からいえば、労働者には、生活に差し支えなき、あらゆる必要物を給与すればよいのである。家屋を与え、衣服飲食物を与え、娯楽を無料で見せ、汽車にただ乗せる。即ちかくの如くにして、あらゆる生産物が出来る。その生産物の公平なる分配を実行せしむればよいのであるが、それはいつの世に行われるだろうか。遠い遠い天国のように欲もなければ得もない極楽世界が出来るまで待たなければならないのである。コンミュニズムは、現世において直ちに行うまでには人間が清浄でない。実行するとなると人に賢愚の差あり、強弱の別あり、なかなかもって一様にゆかないから、五百ルーブルの紙幣の呼び値は同じでも、甲の仕事をする人は、その仕事場において一ルーブルでお米が一升買える。乙の仕事をする人は、その仕事場において一ルーブルでお米が五升買える。軍隊内においては兵営のみの相場がある。共産党本部においては、その配給所において一ルーブルでお米が一石買えるかもしれない。かくの如く便宜に自由に、なし得るゆえんのものは、出来た生産物を一定不動の値で売らなければならぬという規則はない。いくらで卸売りをしてもよい、自由に出来るからである。

外人はドル取引

これは国内における紙幣ルーブルの状態であるが、私達旅行者、またはこの国に住んでいる外国人多くは外交官と、この国の事業に関連を持つ特殊取引のために滞在している人々に対しては、そう勝手なことは出来ない。如何に、一時的便宜の紙幣ルーブルであるとしても、そこに外国人との関係が起こる以上は、外国人の持って来るお金との間に、いやでも応でも為替相場が生れる。為替相場が出来て、ルーブルの価値が世界的にきまるとなると、その変動を覚悟せなくてはならない。世界の動きによって、ルーブルの価格に上下が生ずると、この国の生産物の価格を、この国で勝手にきめても駄目である。資本主義国の経済状態に引きずられてゆくことはこの国としては破滅であるから、そこで外国人に対しては、この国の紙幣ルーブルを使用することを禁じている。即ち外国人のすべては、ドルをもって取り引きをするのである。米金一ドルをもって金ルーブル一ルーブル十三コペックと規定し、それによって外国人のためにその需要を満足せしむべき機関商店が出来ている。それはトルグシン（外国人に物を売る店という意味）と呼ばれている。

私達旅行者はこのトルグシンの店にて、米金ドルをもって買い得るだけである。ホテルにおいて、料理店において、芝居を見るにも汽車に乗るにも、すべて一ドルを金一ルーブル十三コペックの勘定で計算するのである。私達は絵端書（えはがき）を買う場合において一枚十コペックと、郵便切手一枚十コペック合計二十コペックを、米金ドルに換算し、十八セントを支払うのである。仮に日米為替相場三十ドルとすれば、日本の円にて六十銭となるのである。

むしろ国辱

このトルグシンにおける売り捌き方法は、大体米国ドルを標準にしているから、日本の紙幣を持つ私達の負担は、あだかも米国にて物を買うと同一に随分高いものである。ソビエット・ロシヤにおけるルーブル価値を、胸算用してみると、馬鹿馬鹿しいと思うけれど、いやならばよせといわれるだけであるから、泣き寝入りよりほかに途はない。

しかしながら、およそ独立国の体面から見て、この大国が自分の国内において、外国人に対し、自国の紙幣を使うべからず、米ドルのみを使用せよというのは、むしろ国辱であるかもしれない。さればとて、紙幣を許したならば、公平なる為替相場の生れるのを防ぐことは出来ない。そこでこの国では丁度私が滞在している十八日の夜であった。来年（即ち今年）二月一日より金ルーブル取引を廃止し、米国一ドルに対し紙幣ルーブル五ルーブルと規定し、同時にトルグシン商店を全廃し、この国のどこの商店においても、この国の人々同様に買い得ることに改正せられたのである。

トルグシンの作用

トルグシンには百貨店もあり、食料店もある。美術品、絵画骨董の店もある。そして外国人のみに売るのみでない、この国の人でもよい、ドルを持って支払うならば誰にでも売るのである。然らばこの国の人も、如何にしてドルを持ち得るかという疑問は、何人も抱くであろう。

トルグシンの店は、この国の人達によって相当に繁昌している。全市国営商店において紙幣百ルーブルの定価がついている同一品物に、トルグシン店では金十五ルーブルくらいの売値がついているそうだ。しかし限りある商品が、各店一様に不動であるべき道理ではあるが、実際においてはそれほど正確にゆかない。その穴をねらって安いものを探し歩くというのであるが、それよりも普通の店にない、上等の商品がトルグシンには沢山にある。贅沢をしようと思う普通の人は、どうしてもトルグシンに行かなければならないのである。単にそれのみではない。トルグシンを利用して有産階級の全滅を計り、彼等の持つ財産を取り上げげんとしたのが奥の手であるに至っては、正に一石二鳥の策であったのである。

金銀の引揚機関

かつてこの国が最初の五ヶ年計画を実行した時、極端なる物資の欠乏は、多数の国民にとって悲惨なる状態であったことは周知の事実である。この時において、労働階級の人達と、軍隊の人達のみは、いわゆる我が党の天下として恵まれており、何等不自由のなかったことによって、共産主義社会の有難味を経験せしめたのであって普通の国民殊に農民は、三杯の飯を一杯に制限して辛うじて生活をなし得たのである。それよりも可哀想なのは、帝政時代の昔から何等か、多少の財産を持っていた中産階級以上の国民から、いやしくも黄金である以上は、それが結婚記念の指輪であろうと耳飾りであろうと、断じて容赦しない。それをまき上げることによって国策を遂行し得たのである。

丁度その時は、五ヶ年計画に基づき各種工業の材料を輸入し、支払為替のために、レーニングラードにあるロマノフ王朝歴代の廟所（びょうしょ）に飾られた、黄金のあらゆるものを何億ルーブルかで、米国に売らねばならなかった時代であるから、背に腹は代えられないのも事実であったろうが、その手段が如何にも可哀想であったというのである。即ちトルグシンの店だけには、日用品を豊富に飾っておいて、その宣伝にいわく、品物はなんでもよい、金（ゴールド）を持っている人はトルグシンの店にゆけ、そこではドルを渡す代わりに、ドルと同一量目の預かり証を発行する、その預かり証によっていくらでも日用品を給与する、というのである。労働階級や軍隊や、およそこの政府に直接間接その支持を必要とする人には、パンを買い得る切符は渡るけれど、無縁の中産階級の人達は、パンの切符を入手することすらも至難であったために、止むを得ず指輪を、時計を、首飾りを二年三年の間に、そのあらゆる黄金を提供して飢えを凌ぎ得たのである。政府は最後においてトルグシンに黄金提供の種切れであることを見込んだ時、さらに、銀器を集め出したのである。いわく何月何日から黄金でなくてもよい、銀はコレコレの割合にて計算し、預かり証を発行すること、その手続きは金器と同一にするというのである。

四割の手数料

かくの如くにしてまた二三年、次に絵画骨董、家具什器（じゅうき）等委託販売の規則を設けて、トルグシン店に取り扱わしめたのであるが、その手数料四割というに至っては、ソビエットの素人商人も隅に置けないという批判である。これらの方法によって、集められたる金銀は、ゴスバンクにおける紙幣発行の準備金として、保管せられているのであるが、個人の財産を認めず、その所有権を否認す、という革命当時の方針はとうの昔に塗り替えられているのであるから、根こそぎ搾り取られた昔の中産階級連中も、プロレタリヤの一党と共に、朝令暮改の新しい御規則にウロウロさせられているのである。即ち所有権はどうなったか、個人の財産はどう取り扱われているか、聞いてみれば、名称が異なっているだけで、資本主義の国と格別大差がないように思われるのである。

無財産の別荘持ち

今でも個人の所有権は認めない。革命によって富豪階級より没収したる不動産は全部国有であるから個人にも所有権はない。しかし革命当時からモスクワにおける一家屋に住居しておった甲は、その家族員数の割合に応じて与えられた居住権は、占有権という名称による甲の権利として尊重せられている。そして売買は出来ぬけれど、有償譲り渡しは出来るのである。資本主義国における如く売買の登記によらないだけである。

それに関連して私は面白い話を聞いた。モスクワの七八月は大陸的灼熱に悩まされる時があるので、財産に余裕のある連中は、郊外に遊んで紫外線に焼かれて黒くなるのを自慢にする避暑が流行している。この人達は波のような小高い丘や、白樺の森林の中に、ちょっと小意気な別荘を持っている。別荘が持てない連中は、貸別荘を借りて夏休みを楽しむのであるが、いやしくも階級のないのを理想にしている国民、私有財産や不動産を持たないのが原則である国民が、自分の別荘や貸別荘を持つということが、社会的に何等か制裁のあり得べきものと一徹心に考えるのは、そもそも野暮な話であって、この国の多くの人達は、お互いにそういう理屈をいわぬ方が利益であり、それが賢い方法であることを知っている。そういう問題は、黙殺されているので、私に真面目に質問されることを、非常に迷惑がっているのである。

貸別荘に投資

その手品の種は、こうである。地方の百姓を手に入れて、その人の名義で家を作る。土地は国家のものであるから土地の代金はいらない。ただ税金さえ払えばそれでよいので、その手続きによって家屋を新築する。そしてその母屋を離れぬ一隅に牛か、馬か、家畜を飼う小屋を作る。この小屋が実は百姓の住家となるので、主人が避暑に来ない間は、別荘番人の役目をつとめて月給を貰うのであるから、内密とはいうものの、実は公然の秘密になって、貸別荘に投資をしている高利貸までが完備しているというのである。

内面の事情は、早くすでにかくの如く変化している。従って本に書いてあるような、共産主義の説教は遠い将来のこととして、差し当たり国営事業の成功を固めるためには、どんなことでも実行しなければならないのである。即ち個人の権利は平等であり、貧富無差別にして階級のない新社会を作るのが目的であるこの国も、労働報酬を平等にすることは、到底駄目だというので、単に差別をつけるというのみではない、働けばいくらでも賃銭を増加する。他人よりもよく働くことによって巨額の賃銭を得るように競争せよと奨励している。丁度私がこの国に滞在している時に、スターリン氏は全国の労働階級の頭株を集めて、その主義を宣伝すべく強調している。それを名付けてスタハノフ運動というのである。

能率増進の宣伝

スタハノフ運動とは、ドンバスの炭鉱夫の名から生れた能率増進の宣伝であって、彼は出来高作業を強調し、その仕事の分量に比例して賃銀（ちんぎん）を取ることを主張したのみならず、それを実行して、普通の石炭鉱夫が一日十ルーブルをかせぐ時、彼の組はその二十倍を働いて一人一日二百ルーブルをかせいだというのである。今や、この国のあらゆる産業は、このスタハノフ運動によって局面開展を策している。そこには深い理由がある。それは各国からの批判に対する、この国の対抗策であるのである。

ソビエット・ロシヤ国営の産業は、能率がわるいのは当然である。いくら働いても、その賃銀は平等である。仮に、思いきって働くとしても、財産を作ってエラクなる見込みはない。即ちその日暮しの仕事をするのである。そこに多少の手心を加え得るとしても、競争の快味を満喫する資本主義の国と、同一能率のあり得る理由はないといわれて来たのに対して

この国の国民は私利私欲を超越している。人類協同の公益のためには、あだかも兵

隊が戦場において奮戦する如くに働くのであるから、これ以上能率発揮の組織はあり得ない。

といったのを、ケロリと忘れて、これも一時の便宜法であると、いわゆる出来高作業によって競争的に高賃銀を支払うのみならず、従来各種産業の計算が固定資本に触れずして、単に収入支払、即ち損益計算のみによってその成績を示して来たものであったが、それでは、無暗に固定資本をかけすぎる。固定資本はイクラかけてもよい、収支差引利益が多い計算になればよいというのでは、ほんとうの損益がわからないのみならず、物の原価が正当でないということに、今さらの如く気がついて自今、固定資本に対する金利を計上し、損益勘定を作らなくてはイケナイということに改正したのである。そして、ある鉄工事業は固定資産の金利を五分支払っても、コレコレの利益をあげ得たことは、これぞまことに正しい計算であるから、これを見習わなければいけない、とその事業成績を推奨し、その当事者に勲章を与えたのである。

差別待遇の弁解

このくらい各人の成績に対し、大げさに公然と差別待遇を実行しながらも、この国の政治家は、これに対して一つの理屈をつけている。

即ち、人類に階級なきを原則とする以上は、いかに能率増進のためにスタハノフ運動を強調するからとはいえ、誤解してはいけない。それは主として、国営事業の能率を躍進せしむる手段であって、個人の収入に等差をつけるのが目的ではない。論より証拠、その賃銀の支払方法は、出来高作業に応じて働いている、彼等の仲間一党に与えるので、個人個人に、誰にイクラ、誰にイクラと差別をつけるのではない。出来高作業に応じて、高い賃銀を受け取った彼等は、その生活の向上に処し、文化的施設を豊富ならしむる等その幸福をもたらすべきものであって、コンミュニズムは、国民のすべてを、漸次に同一境遇に達せしめんとするのである。

というのである。

手当の特別収入

もし彼等の仲間が、一まとめにして受け取りたるその収入を、仲間同士が平等に分配するならば、宣言の通りであるが、実際問題としては、それでは仲間同士がおさまらないから、まず第一に、各人が一様に仮に二百ルーブルずつ受け取るものとせば、その残金を仲間一同会議の結果として、特別監督手当、何々手当といろいろの名義で、強いものが沢山に取るのである。即ち収入の等差があると同じ結果になるのである。

私は一日、モスクワで有名であるホドキン病院を視察した時にも、ドクトル方の収入の点について同一意味の説明を聞いた。

ホドキン病院

モスクワからレーニングラードへの大道路、ナポレオン撃退記念の凱旋門を通って左に折れると、右手に大きな飛行軍営がある。その正面はモスクワ第一のホドキン病院である。二千二百のベットを持って、入院無料、いつも満員の盛況であるがこの国にいる外国人は勿論有料である。患者の多くは共産党関係方面、あるいは政府官庁等平素からこの病院より配布し置く入院章あるものに限られているが、主として上流階級のために設置された病院である。なおこのほかに政府大官並びに党の重要なる人達のためには、クレムリン宮城内に特別医院が設けられてあるそうだ。この病院には職員千八百人、ドクトル二百五人、眼科産科小児科がないだけで、その他は全部完備しているそうだ。無料とはいえ、病室診察室手術室等堂々たるもので、この種の仕事になると、自慢してもよい、実に立派に出来ている。これだけの病院を預かっているドクトル先生達の収入は実際どういう風に規定せられているだろうか。

名医の給料

名医、大家、博士、学士さまざまの等級があるのであるから、如何に階級なき新社会を作るのであるからとはいえ、そこには必ず上下の差別あるべきを信じて、私は質問した。しかし、ここにもその回答は、この国の方針を曲げないようにいわれている。ドクトル先生方の月給は平等に四百ルーブルであると。私は驚いた。果たしてそうであろうか。医は仁術なりという学者の態度は、社会的公人としてさもあるべきものと一応はうなづいたが、それでは世間にいわゆる「医者気質」とあまりに縁遠いので、失礼ながらその内情を露骨にお尋ねした。

頭かくして尻かくさず。表面は一様に四百ルーブルであるけれども、兼務者にはほかに手当をやる。そしていろいろに兼務を命ずる。兼務給料の方が本給より多い人も沢山にある。しかも、自宅診察は本人の自由にして、その診察料に制限なしと聞いて、結局日本と同一であることが判明した。

独り医者に限らず技術家、画家、小説家、俳優または音楽家の如き芸術方面に関係のある特殊の人々は、この国において一番恵まれている。その給料は何とか、かとかウマク工夫されて、優勝劣敗的に出来上っている。ただ同一職業によっていろいろの組合が出来て、その組合内に等級をつけているから、最低料金が即ち規定せられたる同一給料として体面上、階級なき新社会の目的に副うようにつくられているけれど、実際は資本主義の国と同じように変化しているのである。

貯金で利食い

所有財産もまた然りで、個人の財産を認めず、その富を否認して来たにもかかわらず今日では貯金を奨励している。この国の貯金の方法は銀行扱いと、信用組合扱いとの二種あるというのであるが、政府が発表していた統計は、貯金局の預り金額として一九三四年には十六億三千万ルーブル、一九三五年は未発表だが、二十二億ルーブル以上に昇っているという説明である。なおこのほかに一九三一年から一九三四年までの間に発行された国債が百億ルーブルに達し、その大部分は勤労大衆が応募したもので、これまた国民の私有財産として保有されているのであるから、今日では貯金の利息五朱ないし七朱、国債の利息五朱ないし六朱の財産収入によって、ブルジョアたらざるも、相当資産家らしい顔ぶれも出来ているかもしれないのである。

すでに不動産に占有権があり、貯金に利息があり、国債をお宝として保有する以上は、親から子供への相続は如何。これも認められているが、相続税の累進率が非常に高く、またその貯蓄したお金を営利事業に使う場合には税金が高くかかるというのである。しかし実際問題としては、そういう場合に前例となるほどの資産家もその相続も問題になるほど表面に現われておらないという話である。何を見ても何を聞いても、いろいろに議論されているけれど、結局国家の統制による新資本主義のような組織が生れかかっているように思うのである。

共産主義塗替え

学者の説明には、どう書いてあるか知らないけれど、この国へ来て見ると、結局、共産主義とは、資本主義を破壊するまでの仕事であり、社会主義とは資本主義をとっちめるための仕事である。それは資本主義が持っている欠点を攻撃する手段であって、サテ実行の段取りになると、国家統制資本主義によるよりほかに途はないものと見える。この国では断じて資本主義とはいわない。これを国家統制経済機構と呼ぶのである。

ここまで塗り替えて来るのには、十八ヶ年の歳月を要したのである。その功労は専らスターリン氏に帰すべきであるという評判である。もしレーニンが生きておったならば、露骨に新資本主義を樹立して、共産主義は天下を取るまでの大義名分であったといったかもしれない。ロシヤ一国だけでこれを実行するものとせば、その理想を現実せしめざる前に、その犠牲となる国民の反抗のために倒されるにきまっているというたかもしれない。星移り物変わって、革命後すでに早くも十八年――十八年といえば、明治維新からその十八年目には、足軽下郎の輩も華族になって、沐猴(もっこう)の冠(かんむり)に対して何人もこれを怪しまない如くに、ここにも華かな平和の舞台が、クレムリン宮殿内に展開せられているのである。

大官美人を擁す

政府大官の多くは、雨雪数十年シベリヤの原野に彷徨して来た歴史的の英雄だけに、半白の鬢髯(びんひげ)に老齢の皺の浮んだ双手に、妙齢の美人を擁して夜光の杯をあげている大パノラマが展開せられている。糟糠（そうこう）の妻子も給養手当さえやれば、五分間にて離婚登録の手続きが出来るのであるから、お気に入れば直ぐに新妻を持つことが出来る。実際にこの国の大官の七割までは、若い美しい妻君を持っているそうだ。従って夜会服の白い肌を出す舞踏会が大好きだそうだ。ある西洋人の述懐にいわく「およそ文明国人の悩みは老妻の懐柔策である。しかるにこの国の大官閣下は一夫多妻主義の中華民国よりもまだ恵まれている。一ヶ月に妻を換えること数回、男女同権にして相互にその自由を尊重すという、大義名分が適用され得るから羨ましいのである」と羨んでいるそうだが、私にはクレムリンの宮殿内にこれを実見する資格がないから、その真偽を保証する責任は勿論ないのである。しかしこの国に来てクレムリン宮殿を拝観しないのは、如何にも残念である。青空の晴れ渡った冬の日珍しく暖かい日の午後二時、大使館の御尽力によって、私はいかめしい番兵二人に守られて、この宮殿の一部分を拝観することを許されたのである。

パプロフ博士

西洋人の悪口は、ウィットがあるから対手方（あいてかた）を怒らせないで、このクレムリン宮殿の広場を舞台にして、この国の人民の心理状態を説明している。レーニン亡きあとのスターリン氏は、その政敵の誰れ彼れといわず、挙党一致の鉄則に則っていささかも容赦をしない。テキパキと片づけている。ここにただ一人、レーニングラードにおける政府研究所に立籠っている生理学者プロフェッサー、パプロフだけは、モスクワ政府のいうことをきかない。「おれは殺されてもよい、おれの生命よりもロシヤの学術が世界に重きを置かれている方が嬉しいのであるから」と、これを捨てゼリフに翻訳するならば「殺すならば殺してみよ、世界はロシヤの野蛮性を笑うであろう」と空うそぶいて、自分の信念のままに、なんら野心のない学究人として起居している。

彼の生活とその思想は、依然として帝政時代の旧態を固守しているそうだ。私欲も野心もない頑固であるだけに、帝政時代であろうが、共産主義であろうが、どちらでもよい。朝のパンにキャビヤとお茶があり、昼のスープに田舎料理があれば満足しているだけに、ロシヤの政治がどうであろうと、新しい御規則がどうであろうと、自分の行為が御規則違反であろうと、われ関せず焉、でいることが、モスクワの中央政府としては、他の見せしめに困るのである。昔は日本でも、賀茂川の水と、双六のさいの目と、山法師とは、天下の御威光をもってしても、どうすることも出来なかったと同じように、この国でも、この一人の学者のためにモスクワ政府の鼎の軽重を問われるということは、二百万赤軍を前に置いて、中央執行委員の顔にかかわるという話を一つの種として、ある外国新聞記者がスターリン氏に面会したのである。

「今や飛ぶ鳥落す閣下の御威光は、一億六千万国民の泣く子までも心のままに眠らせるというのであるから、私は一学究パプロフ博士に対する流言を信じない。しかしただ信じないというだけの説明では、新聞記者として読者を納得せしむることは出来ないのである。実際、閣下の御威光はどのくらいエライものであるか、何か具体的の証拠を見せて頂きたいものである。それによって、不朽の名声を世界に紹介したいものである」

「よろしい、それでは、クレムリンの城壁の側にあるレーニン廟の前に行こう。そこで自分が如何に国民に信頼されているか、自分の威令が如何に行われているかを証明しよう」

と、それから二人は、大理石や斑岩で堅固に造られたレーニン廟の前に行くと、丁度、参観時刻が過ぎたあとであったが、まだ数十名の参詣人が居残って、ワシーリーの大伽藍を仰ぎ見ているところであった。スターリン氏はこの群衆をレーニン廟の前に集めた。

「オ、我等のスターリン氏よ、スターリン万歳」という声がした。

「兄弟よ、私はお前方兄弟に一言する。私は今、全人類の幸福を理想とする新国家建設にあたって一意邁進するのみである、私を信頼するところの兄弟は、私の希望、私の注意、私の命令について、一諾、否というものは恐らく一人もあるまいと信じている」

「然り、スターリン万歳」

「よし、然らば私は命令する。この城壁に昇って、南の方、モスクワ河より霞めるウクライナ方面の空に向って天を仰げ。断じて地を見るなかれ。そして、私がこのピストルを発砲する音とともに、その城壁から飛べ。この勇気こそ赤軍の魂である」

「然り、スターリン万歳」

群衆のうちこれを拒むものは一人もない。何人も、こころよく進んで、その任に当たらんことを申し出でたのである。

外国の新聞記者は、その英雄的国民の態度に驚いたのである。さすがにスターリン氏の声望この大国を双肩に荷う、宜（むべ）なるかなと感銘したにもかかわらず、スターリン氏は新聞記者には一顧も与えず悠然として車上の人となり、静かに、ここに人類の未来を凝視しているレーニンの棺前に黙礼しつつ立ち去った。その後影を見送って、新聞記者は、どよめく群衆の一人を呼び止めたのである。

「君方は実にエライ。スターリン氏のためにその生命を投げ出す態度は、実に英雄的である。これでこそプレロタリヤの新国家は、建設せらるるに違いない」

「否、外国人よ、私達は、生きておっても、死んでも、同じではないか」

「ウラーウラー」という群衆の声に、新聞記者は茫然として佇むのみである。そして、ニコッと笑った。

私はこの話を思い出しつつ、クレムリン城内を見物するのである。

象牙の鷲拝観

単に歴史的遺跡として、有名であったモスクワのクレムリン宮殿は、今やソビエット連邦政治の本陣として、そこには近衛の兵営や、それに必要なる兵器廠(へいきしょう)や、政府大官の住宅等が厳重なる警戒裏に、殆ど外部との私的交渉を絶って、プロレタリヤの陣営としては、如何にも不似合いなほど九重の雲深き障壁を築いているという話である。私達は二人の兵士に導かれて、北西の一角、大宮殿を横に見て、大きい二階建の博物館に行くと、一人の女のお役人が丁寧に案内してくれた。そこに陳列されてある古代より当代までの武器や、寺院の什器や、歴代王室の調度品等が山の如くにある中に、最も新しいものとしては、ニコライ皇帝が戴冠式に使用した金色まばゆき馬車と、我が皇帝よりお祝品として贈られた海上波濤刺繍(はとうししゅう)の六曲屏風と、欅(けやき)の根の自然木に翼を拡げてとまっている象牙細工の鷲があった。すべてこの国の芸術的作品の多くは、金銀宝玉をちりばめ光彩陸離としたもののみであるが、その中に日本特有の風雅なる屏風や、木地のままの自然の台や、象牙色の鷲は、如何に傑作であるとしても、あまりに瀟洒で、油の中の水の如くに軽く浮くように離れている。私は独りここの博物館について感じたのみではない。モスクワにおける三個の美術館と、レーニングラードにおける二個の博物館、美術館を見たにもかかわらず、日本の美術工芸品の何物にも接し得なかった事を遺憾としたのに、ここで私の眼に止まったものは、アレキサンダー三世の御殿内におけるニコライ二世皇后の居間にあった蒔絵の手箱と、レーニングラード冬宮の二階にあった各国貨幣の中に、享保大判や小判、小粒角金コレクションの他に、我が国の芸術品らしきものは少しも見なかったのであるから、たまたまクレムリン宮内において一羽の象牙の鷲を見た時、このことは新聞記事にて知っていたが、ふとこれを見た時、このお祝品を携えて、はるばるとモスクワまで来て戴冠式に列した山縣公爵時代の日露関係を追懐し、その当時のことを思い出して、涙のにじみ出るを禁じ得なかった。

愛護される名画

この武器庫のような博物館を去って、鉄柵の門外に出ると、眼下に昔のままの城壁をへだてて、モスクワ川の流れに沿うて、新しく建てられた巨大なる「政府の家」は、何町四方もあろうと思われるほど町の区画を占領しているのが眼につく。ここから見えるモスクワの町は、すこぶる景勝の地に拠って遠く遠くウクライナ地方から、ヴォルガ川沿岸の平野を威圧しているように思われる。女のお役人は、眼下の城壁の説明をしてくれた。

今は昔十五世紀の末年であった露帝イワン三世の時代である。トルコのヴィザンチンから迎えた皇后ソフィヤ姫が、故郷のコンスタンチノープルの華麗なる宮殿に憧れて、それを真似て改造に着手してから、紀元千五百八年に出来上がるまで、三十五ヶ年の歳月を費して竣成した。

と案内に書いてあるが、その全部を私たちに見せるのではない。大宮殿やその宮殿内の「アレキサンドルの広間」や、「セント・ゲオルギーの広間」等金色燦爛（さんらん）たる御殿は、共産党員以外には拝観は許されぬという話であるが、私たちはその大宮殿の前庭を遠くから見て、聖母昇天寺院（ウスペンスキー）という、この城最古のお寺を見た。ここは、歴代の皇帝が戴冠式のために、レーニングラードから大行列をして参詣するという由緒あるお寺であるが、そのうちにある何十本かの円柱と、その周囲の四壁とに描かれてある宗教画は、戴冠式のある度毎に、古い画の上に、さらに同一色彩にて同一に描くという習慣であったが、何百年か前に描いたある有名なる画工の画を尊重し、これを愛護する意味において、その画の上に何度か重なってある分を除き取る工事をしているのを見て、実にえらいことが出来るものだと驚いた。ソビエットの当局者は芸術に対する理解において、それほど神経的であることを宣伝するのではないかと思われるほど、国難多事の時において、悠長であり得るのである。

世界一の大釣鐘

アンハンゲリスク寺院には、ペートル大帝以前の帝王の石櫃（せきひつ）が横たわっている。即ち、ウラジミル及びロマノフ家王朝時代のもので、イワン雷帝の墳墓もある。イワン雷帝が鋳造したという世界一の釣鐘が、ウスペンスキー寺院の裏に置いてあるが、出来上がった時に早くすでに亀裂があったので、一度もついて見たこともなければ、勿論鐘楼に釣り上げることも出来ない。鐘楼は五十層八十二メートル、モスクワ第一の高さである。この釣鐘と同じようなコケおどしの大砲が宮殿の一隅にあった。重量四万キロ、長さ五メートル、砲丸のダイヤメーター一メートルもあろうと思う馬鹿馬鹿しい巨砲が、一五八六年に鋳造されたというに至っては、昔から、如何に恫喝政治に苦心しておったかということが想像出来よう。

私達は、これだけ案内されて、クレムリン宮殿の拝観を終わった時、女のお役人は二人の護衛兵士に私達を引き渡して立ち去った。私はこの時不思議なものを見た。それは晴れわたる冬の青空に、丁度五層鐘楼の上の方に、一片の白雲が綿の如くに漂うていた。暫くするとその浮べる白雲の上に、美しき五色の色彩が現われて、あだかも紫雲棚引くが如くである。理屈をいえば、乾燥せる空気と、水蒸気と、そこに虹と同じ作用によって五色の雲が彩られるのであろうが、たまたまこの国の由緒ある古城に登って、尊き寺院に詣で、この瑞雲を見る、何たる吉兆ぞやと感じた。兵士は引き立てるようにいそぐので、彼の後について門外に出ようとする時、美しい新しい自動車リンカーンに乗った大官に出会った。直立不動捧げ銃をした兵士に挙手の礼を与えて、宮殿深く乗り入れる大官の顔はわからない。あれは誰ですか、と訊ねたけれど、返事をしないように訓練されているという。

勲章で芝居がロハ

階級なきプロレタリヤ専制政治にも、当初から兵隊だけには無階級の階級があって、私がこの国に滞在している間に、世界共通の名前ではないが、実質における元帥が五人まで出来、大将以下それぞれ公然と区別されたのであるが、このほかに、新制度における勲章がある。赤旗章、赤星章、レーニン章、勤労章等文武大官は勿論国営事業の各方面にわたり功労に応じて授与せられるのであるが、日本の金鵄勲章に比較すべき赤旗章についていえば、この国には年金のないかわりに、ある特権が勲章に付随している。日本では功五級のが功四級、功三級に進級する場合には、五級四級の年金は自然消滅して三級のみが残る。この国にては勲章一つずつ、それについている特権が与えられる。たとえば甲の勲章を持つ人は汽車は無料である。乙の勲章は、国営の芝居はどこでも無料である。丙は電車が無料、丁はパンが無料等、階級無差別を理想としている国柄であるだけ、その矛盾にひとしお興味を感ぜられた。

この国の方針は共産党員を中心として、あらゆる労働階級の生活向上について殆ど連日いろいろの訓示や芝居や、映画や、壁新聞によって、生活改造の急務を宣伝している。

ウォッカ気焔

ある青年労働者の二人は、トルグシン・ホテルの中で食事をしながら、演説口調でジャガイモとバタを交ぜ合せた糊(かゆ)のような食物を、スッパイ黒パンにつけてお茶を飲み、半片(はんぎれ)印刷物を見ながら話している。

「十一月二十二日スターリン閣下は、『スタハノフ』運動について左の如く話されたのである。各人がその能力を発揮して社会に貢献し、その能力に応じて報酬を受ける社会主義社会においては、知能労働と筋肉労働との階級的対立を生じやすき傾向を有す。共産主義の社会においては生産と分配の関係は各人が全能力を発揮して社会に貢献し、各人の受くる報酬は、その貢献した量によらずして、文化人としての要求を充たすだけの報酬を受けるのである。このために労働階級の人々は、知能階級のレベルまで向上せなければならない」

実際そうだ、我々が出来るだけ働くゆえんのものは、文化人としての要求を充たすだけの報酬を受くる権利を持つ以上は、僕等がこのホテルで食事をするのに何がおかしい。俯仰天地（ふぎょうてんち）に愧（は）じんやである」

と大分ウォッカが回っていると見えて、可愛らしい気焔を吐くのであるが、私はスターリン氏の演説の中に、共産主義の国では

各人の受くる報酬は、その貢献した量によるにあらずして、文化人としての要求を充たすだけ――それだけは十分に与えるから、ウンと働くようにせよ。それはスタ

ハノフ主義に、出来高作業によって沢山働いた人には、文化人としての要求を充たすだけの報酬をするから。

という意味であると思うが、持って回って苦しい説明である。

可愛い訓示

文化人としての要求を充たすだけの報酬という文字は、「文化人としての要求」が各人一様にあらざる限りは、その報酬に等差が生じ、そこに階級が出来るのであるから、スターリン氏の演説には随分無理はあるけれど、思うに一時の方便で、目的は、別に存在している。即ち、ソビエットの当局者は、

プロレタリヤの人々が汚い衣服を着、簡素なる住宅に生活するのは、プロレタリヤ本来の目的でもなければ主義でもない。それは出来なかったから止むを得ずそうしたのである。プロレタリヤは、文化人として最高の生活をなすべきはずのものであって、それは我々の権利である。

と宣伝している。そしてその方針として

ネクタイは必ずしなければいけない。シャツは毎週洗濯をして、いつも綺麗にしなければいけない。家の窓にはレースのカーテンをかけて美しく装飾せよ。窓際には花の鉢を飾ってやさしい気分を養え。髯は毎朝必ず剃らなければいけない。髪の毛を蓬々と乱して見苦しくするなかれ。何日目には必ず床屋に行け。衣服は常に清潔にして、ブラシをかけて塵のないように心がけよ。

と如何にも稚気愛すべき訓示を必要とするほどに、プロレタリヤの生活向上を企てつつあるので、ルパシカは芝居の舞台よりほかには見られない時代が来るかもしれない。それは国民生活の向上であって、ひとりこの国に限らない。どこの国にあっても望ましいことであるが、もしそういう時代が来たとせば、それはいうところのプロレタリヤの社会相にあらずして、国家中堅の国民層であるから、なおその時までもプロレタリヤという文字にこだわる必要はないかもしれない。結局ソビエット当局者の理想は、プロレタリヤとは支配階級であり、同時に上流社会を意味する文字に転向せしめようとするのであろう。

レーニングラードを訪う

各人をあらゆる覊絆（きはん）から解放して、完全なる自由を保証する事が、革命の目的の一つであったために、自由は各男女を平等の立場に置いた結果、この国では女の外交官もあり、軍人、将校、警察署長、巡査、左官、大工は勿論、鉱夫及び重工業の荒仕事にも婦人がいる。私の泊まっているホテルには事務員は殆ど婦女子のみで、受付、エレベーター、食堂の給仕のみが男である。鉄道には、女の線路工夫が一本の枕木を三人でよちよち運んでいるのを見た。それは私がレーニングラード見物に出掛けた時である。

モスクワを出る時は、雪がチラチラ降っておった。夜の十二時三十分特急列車の寝台に眠って、翌朝八時眼を覚まして窓外を眺めると、白樺と赤松と栂（とが）によく似た樹の小さい森が、線路の両側に相当長く続いている。雪は少しも降らない。灰色の重苦しい空はこの広い大陸の平野を押さえつけて、――実に何という広さであろう。独逸（ドイツ）の平原からポーランド、ロシヤ、モスクワから、どこまでもこの広い涯（はて）しない平野につづくであろう。汽車の煙もまた灰色の雲のように白樺の森の中に流れるように漂って、樹の間々を掠(かす)めつつ消えてゆく。荒寥(こうりょう)たる淋しい冬木立の下草は枯れはてて、水溜まりのふちは白く凍っている。日本の小劇場の舞台でよく見るような横丸太の小屋が、線路の両側にところどころ建てられている。芝居でおなじみのロシヤの景色を目のあたりに見て、午前十時三十分レーニングラードに着いた。駅前の広場にはアレキサンダー三世の馬上雄々しい銅像があった。

私はホテル・アストリヤに一泊して、この町の名所を見物した。ネフスキー大通りの繁華な商店街や、大小千有余の部屋のある有名なる冬宮や、その半分が革命博物館になっている。

その隣のエルミタージの博物館や、ペートル大帝の銅像や、ペトロパウルスクの要塞や、北海に注ぐネバ河の流れや、輪奐(りんかん)の美、正に世界に冠たるイサク寺院や、オペラ劇場や、更に郊外にドライヴして二百年の昔を忍ぶペートル大帝の離宮や、アレキサンダー三世の宮殿や、随分いろいろのものを見た。しかし私の感じた事は、治乱興廃、栄華の跡のしかく速かに現世で見ようとは、人世の悲惨想像も出来ないということであった。

私の日記には、左の如く書いてある。

『十一月二十日　朝起きると、窓から朝日が輝いている。何という珍しい好天気であろう。直ちに自動車にて市内見物に出かける。冬宮を中心として昔のままの官衙町から ネバ河を渡って、要塞地帯から大学校や美術学校や、大きな株式取引所が今は教育博物館になっている付近を一周して、ロマノフ王朝歴代の廟所を見る。ここにはピーター大帝、カザリン妃をはじめとして、各王族の櫃が、白色の大理石や、青い孔雀石や、赤色の宝石等から造られた大きい寝棺が安置されてある。金色燦爛たる大伽藍で、その墓所が、私達旅行者から泥靴のまま正面祭壇まで見物が出来るとは、何という浮世の変遷であろう。この廟所に装飾された黄金何貫目かが取りはがれて、革命政府によって米国に売られたという話であるが、その何億ドルに換貨された美術的造営物が、一朝にして破壊されたのは如何にも残念である事を、この国の人達も必ず後悔する時が来るであろう。それは丁度日本においても蒔絵の手箱をつぶして、黄金を採収した時代もあったというのであるから。

この廟所の横に造幣局がある。現存しているものの活用の必要はないから、外部は大部分破損のまま放置されている。この建物の右手の石ころ道を曲って奥に行くと、低い二階建の長屋の、国事犯の罪人のみを収容する獄舎である。

部屋は十五、六畳もある広さであるが、彼是八十室もあるというが、模形の人形が、窓外を眺めるもの、暗いランプの下に読書するもの、寝台に眠れるもの、各室三様に飾られてあるが、その中に二十何年か入牢していた社会主義者クロパトキン氏の部屋は、椅子テーブルもあって、革命後初めて出獄したその記念として当時のままに残してあるのを見たが、歴代王朝の廟所のある地内に、国事犯者の監獄を設けたことは、私達には想像出来ない勇気であると思う。

史跡に寄する感慨

日露戦争の起こるまで、つい三十五年前の話である。私達はどんなにこの大国を恐れたものであろう。いわゆる、大津(おおつ)事件に周章狼狽したことや、韓国進出に大同江(だいどうこう)以西の地域はロシヤの勢力範囲としても異議はないと、譲らざるを得ざる弱音を吹いたことや、およそこの種の恐怖に駆られた私達の立場において、郊外ペテルゴフの離宮を見物した時、ピーター大帝、妃のカザリン、姫のエリザベス等宮殿生活の豪奢なるありのままの絵巻物が、案内人の説明によって部屋毎に展開されてゆくのを見ると、何ともいえない感慨無量に堪えないのである。殊にアレキサンドル三世宮殿における、ニコライ皇帝が世界戦争の当時まで生活した最近の状態を見ると、その質素なことはむしろ驚くべしで、座右の調度品、文房具は勿論、家庭の内部、小供達（こどもたち）の手遊びものの末に至るまで、そのままに保存されてあるが、わけて忘れられないのは、世界戦争その日その日の戦況を一目瞭然たらしむる大きな地図が球突き台の上に拡げられて、各国対陣の旗印が立てられてある。その傍らの丸テーブルには、閣員の重要会議が開かれ、その重要会議を手にとるが如く聴き得る小高な皇后のお部屋が突き出している等、そこに歴史的光景が想像され得るので、恐らくこれら建築物並びにその設備全部は、もっと内容を充実した帝政時代の記念館として、この国の政略からも、外客誘致策に利用せらるるに至るであろう。

この都会は夏期三、四ヶ月は避暑に佳く、夜は僅かに三、四時間、その最も短かき時は一時間よりないという。遊覧には誂え向きに出来ている上に、北海極地航路の探検隊は、遠からず夜のない海の航路を広告して、欧米人を吸収するであろう。

レーニングラードは流石に北欧文化の中心地であり、ロマノフ王朝時代の都会として、市街整然、内容豊富なる各種の設備が充実しているから、遊覧地として誠に申し分がないと思う。しかも、宮殿、寺院、美術館等の見るべきものが多数にある。名所旧跡として昔恋しき英雄物語が、躍如として旅客の心臓を躍らすであろう。この国の人達は、革命早々これを顧みるに暇なきためであろうか、これら由緒ある建造物やその周囲の景色を破損するがままに放任しているけれど、やがて遠からず復旧し、光栄あるこの国の旧き歴史を一つのプライドとして、世界に呼びかけるにきまっている。そのプライドは、共産主義が新たに生み出したる生硬のあるもののみに限らんやと思うのである。私はいろいろの空想を抱いて、再び寝台列車に乗ってモスクワに帰るのである。

朝八時に起きた。窓外の原野は雪が一寸も積ったように真白く霜が降りている。空は晴れ渡って、遠くの田舎家のガラス戸は旭光を受けて、あだかも何千燭光の電燈が輝いているように見える。この国の紫外線は非常に強いという話である。汽車が遅れて午前十一時頃モスクワに着いた。何という汚い町であろう。レーニングラードはピーター大帝建設の当初から大都市案によって設計されただけに、道幅も広く、道路整然、雄姿荘重なる高層建築が軒をつらねて並んで随分立派である。モスクワの町は、革命後にわかに首府となって、急激に拡大されたので、新しい建築物は各方面に出来たけれど、その中心地帯から旧き市街は、十八年間も何等外部の修粧を加えずに破損のままに放置されてあるから、その見苦しさは、他国の都会には到底見られない程うす汚いものである。

　私はこのうす汚いモスクワを見捨てて、この国に来た主要の用件を果たすべく、黒海の要港である、セバストポル方面に近きドニエプル河の水力発電所を視察すべく旅行した。

　何という広い羨ましい国であろう。行けども行けども、同じような平野である。トンネルもなければ、大きな鉄橋にも遇わない。そしてハリコフから更に黒海の南の果てまで来ようとは、我ながら意外の思わくである。地図を開いてみると、東にヴォルガ河の流れや、その河口のアストラハンの町が、直ぐ近い所のように思われるまで来たものである。私はモスクワを立って二日目の夜に、ザポロジイの町で汽車を降りて、チュウリストのホテルに泊まった。そのホテルの食堂で、ジプシィ一群のコーラス・ガールの旅芸人の唄や踊りを見るのは、旅愁を増すばかりであった。このザポロジイの町から自動車にて、六万キロ発電機九台、五十四万キロの大発電所や、特種工業地帯の建設を視察した。この素晴らしい計画を遂行し得る所に、共産主義国営の強味がある。到底資本主義の国家では、かくの如き大胆な、算盤を離れた曲芸は出来ないのであるが、この事業の外観並びにその内容について、私の考えは、東京電燈会社に報告をしてからでなければ発表することは差し控えたいと思っている。

会えぬ土方與志

私はこの国に来た目的を十分に果たした心持ちから、ドニエプルを去って三度モスクワに来たが、ただ一つの心残りは、土方與志君に会い得なかったことである。私は日本を出る時、土方君の義兄である三島子爵のお話もあり、この国の芸術方面に関して同君のお力添えを得たい希望もあったから、十一月十五日モスクワに着いてすぐに会いたいと考えたのである、しかるにこの国の人々は

「それは無謀だ。君自身は用事が済めば、この国を去るのであるから、責任はないけれど、土方君はあるいは永久にとどまるべき身柄の人である。いま日本の有力者に会うことは、ゲー・ペー・ウーの疑惑をうけるだけで少しも利益はないから、土方君のために可哀想である。」

というのである、私にはその理由が解らない。しかしこの話を機会に、私は意外のことを聞いた。それはこの国の深慮遠謀の如何に緻密である証拠として、山田耕作君や近衛秀麿子がこの国に招聘された事情である。それは優秀なる両君の芸術が、日本の名誉として国威を輝かしたものと解釈しておったのである。

「日本より数等すぐれているこの国の楽壇が、日本から指揮者を借りる必要がどこにあるか。ただ目的は日本における最高の指揮者なるものの腕前は、どのくらいの

程度のものであるか、それによって日本人の頭脳を測量しようとするのである。」
といわるるのである。然らばすでに鼎の軽重は問われたのであるかという私の質問に
対して
「私は音楽家でないからそれはわからない。ただ土方君の場合においてもそうだ。
共産主義だとか赤だとか、そういう思想問題よりも、日本の青年伯爵が演出家とし
て持つ技術とアイディアと、これも日本人を研究台に乗せているのであって、実は
この国の犠牲者として飛んで火に入る夏の虫のように気の毒に思っている。試験が
すめばあとはどうでもよいのであるから、君が土方君に会うのは土方君を危険区域
へ引き出すようなもので、如何にも可哀想である。」
というのである。私にはその意味が十分わからないが、これがために土方君に会い
得なかった事と、文豪ゴルキイに面会を申し込んで、逢（あ）い得なかった事が心残りである。

幻夢的の生活

私は何故にゴルキイに会いたいと希望したか。世界の文豪である彼に逢うのは衒気(げんき)でもなければ物好きでもない。ただ素的(すてき)に立派な邸宅に住んでいるという話であるから、どういう生活をしているだろうか、もし私が逢う事が出来たとしても「どん底」や「母」や、およそ文学的作品を語るような資格のない私が、そういう野暮をいうことは勿論慎むであろう。如何にプロレタリヤ作家の晩年が、お伽話のサンタクロースの様に幻夢的であり得るか。どんな顔をして高壮美麗なる邸宅におさまっているか。恐らく彼には高楼も弊屋(へいおく)も、殆ど無差別に、無関心に、泰然としているのではあるまいか、というような好奇心から、その面影を拝したかったのである。

実はそれも日本の大使館にお伺いした時、大使館のすぐ後ろにあるのがゴルキイの邸宅で、帝政時代には大使館の邸宅と同一富豪の所有であったという話と、この日本の大使の官邸がとても想像のつかぬ程宏壮美麗にして、残念ながら、日本にはあれ程完備せる邸宅は断じてないと信じている程に立派であるが、これらの邸宅はこの国の紡績王であったマロゾフ家の所有で、この邸宅を新築するに当たって、専門技師に世界漫遊を強いたという程有名なものであるが、も一つ私が関心しておった事は、国際文化協会を訪問し、ルイ何世式のきらびやかな応接室に一驚を喫した時、この邸宅もマロゾフ家のものであるというので、この人の建てた邸宅は流石に至れり尽せりであると思って、私はその建築様式の美を満喫したい欲望もあったからである。しかし折あしくゴルキイは老衰病のため、面会は出来ないと断られたのである。

恐怖時代

ネゴロエからモスクワへ、モスクワを中心として郊外へ、モスクワからレーニングラードへ、更にモスクワからドニエプル方面へ、僅かに半ヶ月の間に私はこの国の中央部を旅行したとはいうものの、多くは汽車の窓から望見した感想に過ぎないのであるが、何という恵まれた平坦な原野であろう。そしてこれらの広大なる地区は、帝政時代までは昔ながらの大地主と帝室との専有であって、小地主というものが少しもなかったのである。日本のように、一反や、一町と切り売りをすることは到底不可能なほど広漠無限なものである。私はロシヤの大使館で、こういう話を聞いた。ポーランドの日本の大使館は、あの地方のまだ大地主とはいえない、中地主程度の人が家主であるというから、その地主はどのくらいの土地を持っているかと聞いたら、丁度日本の四国くらいあるという話。ポーランドですらそうであるから、ロシヤときては尚更もって大きいものであることが想像出来ると思う。従って中地主も、小地主もない。奴隷のような無学な小作人と、その管理者とが農園に付属しているだけであるから、汽車の沿道を見ても判るように、小さいマッチ箱のような百姓家よりほかになんにもないのである。

即ち帝政時代のこの国の実権は、帝室を中心とした貴族と、軍隊と、官僚と、これに結びついている御用商人と、それ等の事業家と、それから大地主よりほかになかったのである。国民の大多数は、無教育である農奴と、中産階級以下の小商人(こあきんど)と、労働者よりほかにない。国家の中堅となるべき中産階級という様な種族はなかったのである。

従って誰れでもよい、一世を指導する英雄の生れ出づべき適当の時代が来れば、丁度それは、世界戦争のような数年にわたる変態的国民生活が、何等かの波瀾を好み局面回転を肯定する潮時があれば、ケレンスキーでも、レーニンでも直ちに英雄になり得るのである。常識の判断と注意深い態度をとる知識階級や、中産階級の絶無であり、あるいはそれが絶無でないとしても、僅少であるために勢力のないこの国においては英雄たること実に易々たるものであろう。

私はこの国に来て、何人にも英雄製造の野心を発酵せしめる幾多の銅像を見て、妙な記念物があるものだと異様に感じた。レーニングラードでも、モスクワでも、眼ぬきの広場や公園や、いやしくも眼立(めだ)つ適当の場所には、幾度かこの国を征服した各帝室の代表的英雄が、馬上に勇ましい雄姿をして、天の一方をにらんで立っている。実に戦勝を誇る教唆的態度をもって国民の野心を唆るのである。「おれはえらいだろう、天下を取ってみろ、こういう風になれるのだ」と、朝から晩まで野心家を教育するように出来ている。祖先の記念物として、その英雄を崇拝せしむべく、有難がらしむべく、建設されたのであろうが、何ぞ知らん、これを崇拝するよりも、如何にせば戦勝者たり征服者たり得るかを研究せしむるに過ぎなかったのである。これは独りロシヤのみに限らない。欧州各国どこの国へ行っても同じ意味の記念像を見て、私は苦笑を禁じ得ないのである。この点において日本の銅像は、忠良なる臣下のみに限られているのが嬉しいと思った。

諺にいう「今日は我が身の上」で、今やこの国では停車場、学校、官衙、病院、劇場は勿論、ホテル、バー、コーヒー店、理髪店等、いやしくも二人以上の人間の集まる所には、必ずレーニンとスターリンの画像、立像、半身像等が安置してある。そして革命記念のあらゆる礼讃物件が展開せられているのである。同時に、不安と警戒と疑惑とを防止する手段として、何はさて措き、軍隊中心主義を強調し、それに全力を注いでいる。日本の軍隊は外寇のために常備せられているのであるが、この国の軍隊は外国関係と同時に、国内威圧の武器として常備せられているのである。この場合において、支配者にとって最も恐るべきものは軍隊の行動である。帝政の崩壊したるは国民の離反にあらずして軍隊の謀反であった。ソビエット・ロシヤの施行委員は誰れよりもよくそれを知っている。即ち大多数の国民の生活を犠牲にしても、軍隊に対しては何等の犠牲をだも負担せしめないのである。恐らく、軽毛の微すらもその義務を負担せしめないであろう。

軍隊の反感さえなければ、その政権を維持し得るのであるから、同時にこれを牽制する手段として、ゲー・ペー・ウーの拡大されたる内務大臣の検束政治を猛烈に断行するのである。共産党員最高幹部五、六十名より以外の人達は、お互いに疑心暗鬼のにらみ合いをなしつつ、何時、突然束縛の憂き目を見るか判らないというので、外国からこの国の政治を目して恐怖時代と批評するのであろう。私はそれについて面白い話を聞いた。

天祐的の火災

ドニエプル水力発電工事に伴い、特別工業地域内に現在作業しつつあるアルミニューム工場は、すでに年産二万トンの製品を出している。

来年度からは四万トンに増産しようというのである。この工場はその原料がレーニングラード方面にあるので、当初レーニングラード工場とそのいずれによるべきかという時代から、電極用に理想的機械として、九千トンのプレッスを某外国会社へ注文したものである。それの機械がレーニングラードに陸上げされる前後であった。某外国会社は日本へ内通していわく、ソビエット・ロシヤはアルミニューム工業用として九千トンの機械を契約した。同一型のもので九千九百トン、即ち、約一万トンのものでその能率はコレコレであるからと、効能書宜しくあって、それが私達の友人である森君の日本化学工業会社の注文を受けることになったという話であるが、真偽は日本に帰ってから聞いてみなければ判らない。ところがソビエット・ロシヤでは折角到着したその機械についていろいろの説が起こって、据え付けるべきか、見合わすべきかという責任問題が技術方面に起こりかけると、一夜の中に、その機械を保管してあった倉庫に火災が起こって、使用不可能ということで、その問題は解決したというのである。誰れ彼れといわず、恐怖時代に処するお互いの立場は、最も簡単明瞭でなければいけない。即ち天祐なる哉。議論の余地のないように、火災がすべてを解決したというのである。私は、最後に、各方面から聞き得た、この国の前途に対する楽観説と悲観説とを記述して、結論にしたいと思う。

この国の将来

革命後早やすでに十八年になった。赤の宣伝と、世界革命の左翼系は没落して、スターリンの一国社会主義、その名称はどうでもよい、実際は国家統制資本主義というのが適当であろう。すでに所有権が認められ、貯金が奨励され、相続税のない特別公債が発行されているから、その公債の所有者は税金を払わざるブルジョアであり得る制度まで出来ている。スタハノフ運動によって、生産競争の結果は各人の収入に大変動を起こして、無階級の理想の如きは遠の昔に捨てられている。必要に応じて如何様にも塗り替えられるのであるから、現在の制度をもって直ちにこの国の大局とその前途を批評するのは当たらない。唯、これまで共産党の主張して来たいろいろの行きがかりから、一億六千万人の国民に対する曲がりなりにも言い訳が立てばよいのである。この国の最高幹部は世界の識者や学究の空論なぞは屁とも思っていない。また実際、他人の批評を気にかけて、世界の六割を領有しているこの大国の建設が出来るものではない。何もかも心得ているのであるから、資本主義という文字さえ使わなければ、その実質は何でも採用するにきまっている。結局、国家統制経済機構という看板をもって、世界に雄飛するであろうところのソビエット・ロシヤの前途は如何。私は先ず楽観論者の説を聞くであろう。

楽観説

一、ロシヤの苦しかった時代はすでに通り越した。五ヶ年計画を実行した時は随分無理をしたが、要するに、三杯の御飯を一杯ですまして、建設事業に投資したので、第二期五ヶ年計画はそれ程無理をしていない。この国の経済が如何に順調であるかは農業国を一足飛びに重工業の国とし、それが目鼻がついたと思うと、今度は直ちに軽工業に突進している。そして革命以来、自給自足の大方針を遂行するために必要であった。各種建設費は、外国材料の輸入巨額に達したにもかかわらず、結局の今日では輸出入はバランスがとれて、年々産金高の増加と共に準備金は増加している。

一、国家の歳出入は、左記の如く驚くべき程増加しているけれど、同時に歳入も増加して、三十五年度の予算では五億ルーブル歳入超過である。

一九二八年	八十一億ルーブル
一九二九年	百二十四億ルーブル
一九三一年	二百〇〇億ルーブル
一九三二年	二百九十四億ルーブル
一九三三年	三百五十億ルーブル
一九三四年	五百三十七億ルーブル
一九三五年	六百五十九億ルーブル

一、公債は順調に発行されて、最近四ヶ年間に百五億ルーブル、三十五年度は三十五億ルーブルの予算であるが、勤労大衆の愛国的引き受け見込みはすでに予算に

超過している。しかも、紙幣の発行高は銀行預金の増加と相待（あいま）って、漸次に減少の足取りである。

	（銀行紙幣発行高）	（財務人民委員証券発行高）	（合　計）
一九二八年	一、五一八、〇〇〇千ルーブル	四三〇、〇〇〇千ルーブル	一、九四八、〇〇〇千ルーブル
一九三五（四月残）	三、九七八、〇〇〇	三、九〇一、〇〇〇	七、八七九、〇〇〇

一、かくの如く財政の基礎が逐年堅実になってゆくと同時に、この国が将来の発展のためにすでに投資している経済その他の建設事業資金は、最近四ヶ年間に千四百四十億ルーブルを投下している。これらの投資事業に花が咲き、実を結ぶ時代が来たならば、世界の各方面に恐るべき勢いをもって席捲するであろう。

一、世人の多くはこの国が軍備のみに偏しているが如くいうけれど、軍備の如きは僅かに六十五億ルーブルであって、歳出の一〇％に過ぎないのである。外国貿易においても国家が直接に取り引きするのであるから、先ず第一に輸出超過を目安にして、建設材料並びに各種原料の購入をするから間違いがない。それがためには勿論ダンピングも止むを得ないと思う。ただ現在は過渡期であるから、国民に不自由を忍んでもらってバランスをとっているのであるが、この国はあらゆる物資に恵まれて、石油、鉄、石炭は勿論、世界中他国にあってこの国にないというものはないのである。この広大無限の物資と、それを工業化し産業化し得る建設工事が竣成し、その能率を十分に発揮する時は資本主義国家の如く資本家に搾取せらるる分だけでも経済的に有利であるから、この国の産業は活躍するにきまっていると思う。

一、論より証拠に、すでに物資の欠乏という声はなくなった。ただ贅沢品が作られない。また贅沢品の輸入は中止しているから、この点において国民文化の上に可哀想だと思うけれど、恐らくこれも一時的の変調で、その中に生活の向上に伴うて供給せられるにきまっている。

一、世間ではよく国営事業は、会社組織や個人の仕事の如く、うまくゆくものではない。況んや、共産主義に基くこの国が、プロレタリヤ専制の組織をもって一部分だけが一生懸命であるからというて、労働者、農民の多数は直接利害がないから、その日その日を義務的に送るだけで、能力の上から見ても到底資本主義国家の事業成績とは比較にはならないと非難するけれど、この点は十数年来の経験によって、すでに訂正されている。各事業毎に投資額に対する利益率の計算を奨励し、その利益の増加に伴うて報酬を異にするものであるから、実際は日本の株式会社と同一である。労働者に対しても出来高、作業本位に、よく働く人には沢山に賃銭を与えるのであるから、これは国営であるから、何人も均一だと十五年も前の話を持ち出すと同じで、実際に触れていない空論である。

一、更にこの国の大計画を知る必要がある。先にはバルチック海と白海をつなぐ白海運河が出来、この度はモスクワ河とヴォルガ河をつなぐ大運河の開削に着手している。更に第三次五ヶ年計画には、ヴォルガ河とドン河との間に百三キロの運河に着手するだろう。かくてこの大国の平野は、北海より裏海（りかい）、黒海を貫流して地中海まで水運の延長が出来るのである。共産国のえらいところは、資本の利回りを考えなくて、道路、港湾等が産業の基礎であるならば、運河もまた継児（ままご）扱いにしてはいけないという高所から見た態度である。更に運河のみではない。水力電気においてもすでにドニエプルが竣成した。この度はヴォルガ河とバイカル湖付近のアンガラ河を利用すべく調査中である。かくの如き大計画によって、自給自足を必ずやり遂げるという所にこの国の強味がある。一度でいけなければ二度試みる。今年失敗したからといって来年を笑ってはいけない。失敗すれば必ず成功するまでやり遂げる。それは資本主義の国のように利息の計算をしないからである。丁度、軍備と同一に工業も産業も考え得るからである。

一、すでにこの国の方針が工業立国であると同時に、各大学の教育方針もまた重きをこの点に置いているから、最近大学における統計を見ても、工科、理化科等、専ら産業開発の方面に必要なる学生を養成しているので、その数は六〇〇〇名、政治、経済、法律の如き、僅かに六百余名に過ぎないのである。先達て、シベリヤ鉄道にて欧州に来た陸軍中佐某氏が、丁度同室して来たこの国の青年技師は年齢僅かに二十七歳、三ヶ年前にレーニングラードの工科大学を出た鉱山技師であるが、月給が千七百ルーブルだと聞いて驚いたという話があるが、それ程人材養成とその優遇に注意している。

結局、事業は人にあるのであるから、この国は早くすでに充分にその用意をしているから恐ろしいというのである。

楽観論者の説は大要以上の如くである。まだ漏れた点があるかもしれない。そして楽観論者に限って、十年前に一度この国の悲境を見たとか、共産主義の空論を軽視して、さて実際を案内されて、かつて、一台の自動車すらも完全に製作出来なかったこの国が、米国の指導を得て、一ヶ年にトラクター十万台を製造し得る偉大な工場を活動せしめている実状から、この国が重工業の国として、石炭はある、油はある、鉄鉱はある、水力もあれば労働者に失業なしという方針で働かせては、鬼に金棒でこれは容易ならざる世界の強国だと、にわかに驚いて、一犬虚に吠えて万犬実を伝えたというような事かもしれない。然らばこれに対する悲観論者の反対説は如何。

悲観説

一、共産主義の国家が、製造工業や各種の産業を国家の手によって、利潤を計算外において実際に試みるというならば、出来る出来ぬは別問題として、世界の歴史にそういう実験の記録がないから、それが巧くゆくかゆかぬか、よいか悪いかという点になると、神ならぬ身の軽率に批評は出来ないから空恐ろしく感じないでもない。しかし、すでに名称はどうでもよい、結局資本主義の国と同じようにやるのだ。またやりつつあるというならば、資本主義に多年の経験を積んだ、海に千年山に千年の他の国が駆け出しのロシヤに負けるという理由はないと思うのである。

一、この国は各種の工業、産業の建設資金に千何百万ルーブル支出して、その設備は資本主義の会社組織のように眼前の計算に囚われていないから、その機能が完全に発揮されると、専ら外観の点に重きを置くけれど、工業や各種産業の出来高だとか、原価だとかいうものはにわかに巧くゆくものではない。資本主義の国のこれらの諸機関は早くても五十年、長い方ならば百年も前から、世界の競争者に負けないように、訓練研磨、苦労を重ねてここまで仕上げて来たものである。ロシヤの急拵えの技師や職工に負ける訳はない。私達の見るところでは、この国が独逸、英国、米国の工業程度までになるには、三、四十年の歳月を要するものと見ている。それが資本主義の会社であるからだとか、国家経営の仕事であるからだとか、そういう区別なしに、工業というものは、金がある、機械を据え付けた、それで旨くゆくと簡単に考えたらば大間違いである。ロシヤの仕事が直ちに恐ろしい程成功するものと信ずることは出来ない。

一、およそ国営事業にも限度もあれば程度もある。国を挙げて軍隊と同じように、各種産業の管理が出来るとせば、それは奇跡である。仮に出来たとせば、それは恐らく形式的、機械的のそしりを免れぬであろう。論より証拠に「スタハノフ」運動というが如き宣伝を全国的にやっているのは、うまく出来ないからであろう。成績が好くないから、せめて私達の国の貸借対照表を参考として、もがいているに過ぎないのである。

一、この国の統計だとか、紙幣の発行高だとか、そういうものは我々を信用せしむるに足る根拠が乏しいので、当てにならぬと思う。準備金は毎年増加する。帝政時代には一ヶ年の産金六千万ルーブルであったが、近年一億ルーブルに達したと発表しているけれどそれを信ぜしむる材料がどこにあるか。紙幣の発行高でもそうだ。財務人民委員証券発行高でも外部から判らぬように出来ている。軍事費にしてもそうだ。一九三五年度の予算は六十五億ルーブルというけれど、軍器の製造並びにその付属品等は重工業の各部門から支出されておるから、実際のところは何人にも判らない。軍事費であろうとも、重工業費であろうとも、議会が彼是いうではなし、勝手に出来るから羨ましい。およそ当てにならぬ事かくの如くである。

一、この国の政治はソビエットの政権、即ち、プロレタリヤ独裁政治の強化というのが大方針であるから、これがために国民生活の自然性に弾圧を加えて自由を奪っている。国民の大多数を犠牲にして、旗本八万騎ではないが、共産党員百万人か二百万人か、僅かそれだけの人達が自分達の専制政治を強行するために、カムフラージする虚偽の仕事に、如何にこの国の百姓や労働者が低能であるからといって、そう何日までもだまされているものか。政府大官の月給五百ルーブル。それは労働者に対する表向き、楽屋のからくりをいつまで国民に内所でおけると思うか。他国の新聞雑誌書籍は輸入禁止、外国へ旅行は許さない。都合のよい宣伝だけしていれば安心だと思うならば、ゲー・ペー・ウーは必要がないだろう。白系露人は欧州だけに百五十万人散在している。秘密と弾圧が永久に効力があるならば、一九一七年この国の革命が起こる理由がないので、これ程国民を馬鹿にしている国に真剣味があり得る道理がない。真剣味のない国民のやる仕事が旨くゆく理屈がないから、私はこの国の前途を悲観する。

以上悲観論者の意見は、この国の仕事は秘密が多いから信用が出来ない。国民の大多数は不平満々であるから、如何に政府の当局者が鞭韃（べんたつ）しても国民は真面目になれるものではない。いやいやながら仕事をしている程度では、敵として恐るるに足らない。囚人を弾圧して運河工事に使役する事は出来ても、運河を利用する経済的機関は不平満々たる多数の国民から見捨てられるであろうというのである様に思われる。

私は僅かに半月の滞在によって、しかも演劇や音楽や、その他社会施設の視察研究に忙殺されたのであるから、悲観説がよいか、楽観説が正しいか、結論をつけ得る程に大胆でもなければ、軽率でもない。両説を羅列するに過ぎないのであるが、ただ何人も信じ得るだろうと思う点は、この国の政治家は転向が巧みであるから、今日の状態に則して明日を図ることが出来ない。もしそれを試みるならば、背負い投げを食わされるものと覚悟をする必要があると信じている。私は想像する。スターリン氏は如何なる機会に転向すべきかをねらっていると思う。この国の革命の原因にはいろいろの理由があるけれど、帝政時代にはユダヤ人を虐待した。軍人官吏は勿論、公人として晴れの舞台へは厳禁している。実業界からもユダヤの勢力を駆逐している。ユダヤ人の恨みは必ずしもインターナショナルの主義からばかりではない。即ち革命が、ユダヤ人であるレーニン、トロツキー等の手に依って成功したのも理由のある話で、革命後の新政府の要路には、優秀なるユダヤ人の秀才が蟠踞(ばんきょ)して、明敏なる頭脳を働かしている。この現勢力をいつまでも継続することはこの国の利益であるか。これらのユダヤ人がおっては新資本主義に塗り替えることが巧くゆくだろうか、という懸念は何人も抱くところで、恐らくユダヤ人でないスターリン氏は、今日からその駆逐策を考えているかもしれない。隣国独逸のユダヤ人政策を見て、彼は断じて安閑たり得ないであろう、と考えてみると私は楽観だとか、悲観だとか、その重点を現状に置く、そういう議論を離れて、試みに空想を画いてみたいと思う。それはこの国に旅行した多少の因縁であり、あるいは日本国民としての義務であるかもしれない。

国家統制新資本主義

現在において、この国の強味は楽観論者の説の如く、その弱点は悲観論者の説の如しであるとせば、何人がその局に当たるとしても、議論にこだわらず実際に国民の利益を尊重する立場になって考えると、理想論にとらわるるよりも、世界各国を相手として政治をするのに都合のよい、それがこの国の利益であり、国民の幸福であるその方針に、一日も早く転向するのに躊躇はしないだろうと信ずるものである。それは何であるか。この国の旗印を塗り替えて、資本主義の国と同一方針に基づき、資本主義の国の持たない、また持ち得ない強味だけを後ろ盾にして各国と競争をして、国力の発展を策するだろうという事である。

この国の強味は、各種製造工業等その産業における固定資本を、手加減し得ることである。国営というても限度がある。砂糖製造は国営にする。しかし砂糖を材料にして千種万様の菓子の製造までを国営として、郵便切手を配給するが如き、平凡化する事は文化人として辛棒（しんぼう）の出来るものではない。紡績や生糸や、その糸を紡ぐまで、即ち、綿糸までは国営にしてよいかもしれない。あるいは綿糸まで進むのは損であるかもしれない。綿花の統制でよいかもしれない。どちらにしても、この綿糸を使用して各種の綿織物やその加工品は自由競争に、民営たらしむべしである。小麦の統制は麦粉までにしなくてもよいかもしれない。パンは各自のかまどや、大量生産の商店におけるバタ、ミルク入り等、その手加減は国民多数の嗜好品として自由であるのが自然である。こういう風にすべての商品を区別すると、国営にすべきものは材料を限度として肥料、煙草、酒、鉄、軍需工業及びその他、並びに対外国に処する方便から、自ずからそこに限られたる品目が計上せられるであろう。それだけを国家が統制経営することになって、それから先の千種万態は、資本主義の国の商売の如くに、自由競争にする。それでなければ国民がやりきれるものでない。そして外国貿易にしても、政府が材料を買う場合にも普通の商人と同じく（日本の煙草専売局が仕入れる如くに）外国為替の取り引きによるべきものである。もしこの国が、今私が想像しているように、大局だけを国営にするものとせば、収支損益を標準として、材料の原価を計上し得るものであるから、新しい工業国としても相当手強き競争をなし、優勢を維持し得るものと思われる。それを実行し得たと仮定する。ここにおいてこの国の前途は、我々をして正に戦慄せしむべき繁栄を示すものではないだろうか。何となれば、この国の資本制度と、不公平なる国民の生活状態とは、すべては革命においてすでに清算されている。かつてブルジョア階級であり、資本家であった人々から受けた積弊は一掃されている。国家としてもまた、一度革命によってこの国の負債であった外債四百億金ルーブルを踏み倒し、年々支払うべき利息のみにおいても、一ヶ年二十億の利払いを節約し得た。それだけの国民の余力はどこぞに現われて来るに違いない。そしてすべての国民が新規蒔き直しに公平にスタートなし得ることは、如何に国民をして勇気付けるであろう。国営以外のあらゆる製造工業並びにこれに伴う各営業の固定建設物は、政府から特別の規則によって貸し下げられるか、無料下付を受けるか、年賦払い下げの形式によるか、すべて国家の繁栄に処する原動力となるのであるから、その営業者が繁昌するように解決するであろう。営業者が繁昌するように解決することは、やがて国民全体の利益となり得るのであるから、ここに初めて国民はこの政策を謳歌するであろう。即ち、国家統制の新資本主義ソビエット・ロシヤの出現は、世界にとって如何なる波瀾を巻き起こすであろうか。これに対する日本国民の覚悟は如何。

ロシヤの極東政策

私はこの国に来るまで、ロシヤの極東に対する軍備について疑問を持っていた。日本国民はロシヤと戦争する意志がないものと信じていた。ロシヤもまたその国内の整備と、革命後の安定せざる国民生活に戦争は禁物であることと、対欧州隣国の政策から日本と戦端を開くが如き愚を演ずるものでないと信じている点から考えて、双方共に戦備の必要はないにもかかわらず、何故にこの国は極東の軍備を拡大し、独立軍団として存在し得るまでに強固ならしめたるか。それは何でもない。日本の進出を拒絶するために先手を打ったのである。実際日本は極東に進出する希望を持っているのであろうか。

およそ戦争なるものは損益利害の衝突から起こるもので、その心配のない所には断じて戦争はあり得ないという話である。ロシヤは日本に何を求むるか。この国の人の説明によれば、日本から求むるものは何もない。日本から何にも売らないといわれても、何等苦痛を感じない。ロシヤ人は気にくわないから交際は厭だといわれても少しも困らない。自分達は自分の国を犯されなければそれでよいのである。昔とは違っている、満州を、朝鮮を、どうしようとも思わない。またロシヤのものは少しも買わない、気にくわないから取り引きは厭だといわれても困らない。実は日本が進出の野心さえ捨て、不可侵条約を締結してくれるならば、願ったり叶ったりで、極東の軍備を最小限度に節限して、全力を欧州方面に注ぐからというのである。然らば日本はロシヤに対して、どういう立場にいるか。

樺太漁業についての交渉問題は何年目か知らないが、その時はいつも新聞記事を賑かにしている。どうもロシヤはずるい。何とか、かとかいって長引かして困らせられる。北樺太石油問題にしても、談判がなかなか渉らぬ。この国の様子を見れば泰然とかまえて、ゆっくりすればする程利益であるようだ。日本が急ぐ程、じらしてやるのが面白そうに見える。成程この国から見れば受身になるだけで、日本に求むるものは一つもないから、ロシヤとの交渉が旨くゆく理屈がない。おどかしがきかない。交換問題がない。止むを得ず泣きおとしか、愚痴か、女々しい談判より出来ないものと思われる。これは日本の政治家が外交談判において今日あるを知っておれば、戦勝の余力でもっと旨くやるべかりしものであって、今更いうても致し方がないが、実際問題としてはこの国の談判は実に苦手であると思う。そう考えると不可侵条約なぞは、これを急いで日本にどういう利益があるか。満州から極東軍備経常費の節約が出来るではないかという人もあるが、今や、この程度で日露は相対している時、ソビエット・ロシヤの新資本国が出現して、私が空想しているような隆々たる商業国が極東方面に商売の鉾（ほこ）を向けてくる。即ち、蒙古（もうこ）から南下して支那へ新市場の開拓を図る。同時に浦塩（ウラジオ）方面は堅固なる陣容と、飛行機と、潜水艦と威風堂々として、遠く米国に色眼を使う。少し私は神経質になり過ぎた。万一こういう状態になったならば、日本はどうしたらばよいか。

今のうちにロシヤの希望に応じて不可侵条約を結ぶとする。何かロシヤはその報酬として日本に与えるだろうか。北樺太を売るだろうか。不可侵条約によって極東の軍備を縮小し得る経費は莫大なものであろう。ロシヤは全力を独逸または南欧に注ぐことが出来るから、日本への相当のお土産をくれるだろうか。万一何等かのお土産をくれるものとせば、そこに日露同盟まで進むべき機運が萌すことはあり得るだろうか。否な否な、日本に何等求むるところなきロシヤが、お土産をくれる理屈はない。そういう事を考えるのは素人に限る。それよりも日本はロシヤと対立すべき永久の敵である。独逸と握手して、東西から挟み打ちにする態度を持っている方が、如何なる場合にも捨て身になれるから利益である。いや独逸と日本とはこれまたすこぶる縁遠い。独逸は国内の安定と国力の建て直しに全力を尽しているので、当分は戦争どころか、東洋方面へはただお世辞をいうだけで少しも余力がないから、お互いに同情の仕合いをするだけで、日独同盟は空論というよりも、考えるだけ野暮の話だ。今のように独逸はロシヤを目の上の敵として漸次に疎隔していると、英国は早やすでにロシヤに食い込んで、今までの独逸に注文していた年額約五億金ルーブルの商売を横取りしようとしているのみならず、英国はロシヤが共産主義の国であり、排資本主義の態度を固執している間は、軽率に近寄らないけれど、遠からずこの国は新資本主義に転向して、同一取引が出来ると睨むと、親露主義になるのは勿論のこと、英・仏・露の三国親善ぶりを見せて、ロシヤの御機嫌くらいは取りかねない猩親父であるから、少しも油断は出来ないという風に、外国に旅行すると勢い欧州の地図を拡げて見て、にわかに一かど外交官にでもなったような我ながら妙な気持ちになる。可愛い子には旅をさせよというが、日本において自分の仕事より考えたことのない、私のような政治に冷淡であり、実業生一本の老人まで、こう気楽にソビエット・ロシヤから更に独逸、瑞西、それからオーストリヤ、ハンガリー等、南欧の旅に日本人として大威張りに歩けるのも、一に日本という国力の背景があるお蔭で、国力の有難味がわかると、つい知らぬ間に憂国の老いのくり言、読者の一笑を買う次第である。（十二月二十一日チュウリッヒにて）

ソビエット・ロシヤ小景

一、閉された教会

汽車から見ると、冬木立の梢（こずえ）よりも高く天にそばだって見える尖光の塔は、村のお寺である。かつてはギリシャ正教の国として、朝夕祈願の声が、ウラルの山脈を分水嶺（ぶんすいれい）として、津々浦々の果てまでも響きわたった宗教の国も、現在では布教の自由を認めないのであるから、ゲー・ペー・ウーの手によって強制閉鎖されたものや、破壊されたものが数限りなくあるという話を聞いていた。物質的欲望を奪われ、幸福の生活を裏切られた国民としては、そこに精神的慰安を宗教に求むる人心の弱点からも、お寺を封鎖されたことは、どんなに心寂しいことであろう。幸いに破壊を免れたお寺でも、正面の神壇や前後左右のあらゆる絵画神像は取り除けられたのであるから、昔のような神々しい面影は見ることが出来ない。如何にも寂寥（せきりょう）たる存在である。欧州の某大使は、これらの絵画神像を二束三文で買い集めて、外交官のみが持つ特権を利用して、貨車数両の荷物を国へ運んだという時代もあったそうだが、私が来た時はこれらの芸術的絵画彫刻はトルグシンでなければ買うことも出来ないのみならず、それも平凡なものしか売らない。しかも法外な高価で馬鹿らしくて手が出せない。なぜ高価であるかというと、これらの所有者はトルグシンに手数料四割を払うのであるから、五十円の価格のものは百円以上に売らなければならない事情があるからである。

二、好評の火葬

革命前までは火葬は絶対に禁止せられておったが、すでに宗教を認めず、お寺を破壊、または封鎖したくらいであるから、数百年来旧習の土葬を厳禁して、すべて火葬にせよというのであるが、当初はいろいろの迷信から――それには面白い話がある。火葬にすると、まだ腐らない死体の中にひそんでいる霊魂が焼かれて灰になると、神像にのり移ることが出来ないから、今までのように画像や彫刻された神様を礼拝して御奇特がないから困るという説に対し、その通りだ、何を拝んでも御利益がないから宗教はいらない、火葬にするのであるという風に、欺くに道をもってする。現在では都会では殆ど全部が火葬になったのは、この国において改良されたものの中で、賞(ほ)めてよいお手柄の一つであるそうだ。そして葬式には坊さんの教文がない代わりに、町内の代表者、とでもいうべき人が、丁度日本でいえば、昔の名主か大家さんに当たる人が、死者の履歴を話したり演説めいた追悼の辞があって終わるというのであるが、簡単で無駄がなく、ただ、一時は中々評判がよかったが、近ごろではまた、葬式というようなものは、要するに、虚礼であるところに人情味があるので、どうも物足らなくて困る。これでは不用なものを塵箱に捨てるようで、如何にも手軽すぎて残念であるから、何とか宗教によらざる新式の儀式がほしい、という希望の声が起こっているという話である。

結局レーニンも、すでに神に祀られたのであるから、旧教といわず新教といわず、十字架の代わりに、ハンマーでは困るだろうが、何か工夫して「鰯の頭も信心から」で、そのうちに国民が期せずして礼拝する何ものかが生れて、それに落着くであろう。それが即ち宗教である。その宗教はいつ生れるであろう。宗教を信ずることの出来ない国民は実際可哀想である。

三、マルクスの理想

何故にこの国では宗教を禁止したか。マルクスは「宗教は国民に対し阿片のごとし」といっているが、およそ科学的社会主義の立場から見れば、アヘンに酔って人間が麻痺されているような迷信的な行動は許されないので「人間間の事柄は、人間間の関係であって、超自然または超人間の力の存在するがために左右されるものではない。しかるに宗教は超人間的の力、超自然的の力の存在を前提として出来上がっている。即ち宗教を信ずることは正邪善悪の観念と矛盾する結果を生ずるからいけない」といって、反宗教運動を起こしたカール・マルクスの理想が実現せられた訳である。いつまで続くか地球上に人類から生れて来て、何億年からの永い永い歴史の上に自然に存在して来た宗教、しかもその宗教によって世界の文化が変遷し、維持されて来た事実を度外視して、簡単に解決が出来るだろうか、というような大問題をこの国の経験に基づいて、世界各国は正しく判断され得るのであるから、まことに有難い次第である。

四、雪掃きの男

空が真っ闇になって、気温が暖かくなると、細かい、サラサラとした雪が降り出す。その雪が街道の上に、うすいレースを敷いたと思うころに、早くすでに、何百人か何千人かの雪掃き人夫が、モスクワの街に現われる。

彼等は、柄の長い箒を持って、絶え間なく降りくる雪を、少しもあせらず、しかも、悠暢（ゆうちょう）にサラサラと掃いている。全体この雪が箒で掃けるものだろうか。仮に掃くとしても、あまりに呑気な態度ではないか、と私はホテルの窓からジッと見ている。茫然と眺めている私の方が辛気臭いので、いやになるほど雪掃きの男は、悠然として迫らず、同じところを、行きつ戻りつ、根気強く掃いている。

降り来る雪は音も立てず、向かいの軒端には、またたくの間に白くつもるのが見える。頭巾の帽子を眼深にかぶった雪掃きの男は、つもる雪を眺めようとはしない。同じように、やすまずたゆまず雪を掃くのであるが、かくの如くにして、人々が通行し得るだけの街路は、奇麗に掃いて、うすいレースの絵模様を大地に描く程度に防いでいる。私はこの国の人の落ち着いた、重厚にして、辛抱強いのには驚いたのである。軒の雨水の雫が堅い石に穴をあけるように、広いモスクワの辻々に、あだかも雪合戦をしているように、長い箒を持って働いている何百人かの雪掃きの男が、与えられた仕事に対して、その忠実なる態度に私は敬意を表したい。

今日もまた赤の広場に絶間なく　雪掃く人の雪を掃きつつ

五、食物の好悪は僭上

日本において、ロシヤスープはこの国特有の名物といわれて食べた経験から、私は何が一番美味いものであるか、この国自慢の美味いものを一度でもよい、食べてみたいと思っていた。しかし私たち外国人は、この国のお金を持って勝手にどこへでも料理屋に行くということは出来ないのである。私たちの使うお金は米国のドルか、英国のポンドよりほかに通用しないのであるから、政府が許可している料理屋（ホテル）よりほかに行くことは出来ない。そうして私たちは、外国人係のお役人の付き添いによって行き得るのであるから、実際どんなうまい料理屋が存在しているか勿論分らない。私はホテルの経験から見たうまいものを、思いうかべてみるだけである。

しかし、この国へ来て食物のうまいとか、まずいとかいうのは、もったいない僭上の沙汰で、私たち旅行者なればこそ勝手なことがいえるので、この国の人たちの多くは、いまだに満足にバタを得られないのみならず、あらゆるものに不足勝ちの世帯をやっているのであるから、私たちがホテルの窓際で温い料理を食べていると、むしろ反感をもって眺めてゆく。無理もないと思っている。

「ナルザン」は実にうまいと思った。あるいは世界一であるかもしれない。やわらかくて刺激性がなく、無味無臭に近く、私が試みたミネラル・ウォーターとしては、このくらい上品なおいしいものはないと思った。

その次は、ケビヤである。極東方面から持って来るもので、色の黒いのが自慢である。「他国で試みるケビヤは色が黒くない。多少鼠色がかっているから御覧なさい。味も落ちている」という宣伝である。

黒パンは酸味の快がわからなければ語るに足りないというのであるが、私は幸いに酸味の快を覚え得ずして、まずい白パンのみを食した。

前菜が盛り沢山で、うんざりするほどもあるが、単にお国自慢というだけである。しかし聞くところによれば、政府大官または上流の宴会では――この国では上流という言葉は禁物である。文化的に充実した生活の出来る部分においては、素敵な前菜があるという話であるが、私にはわからない。

ウォッカは無色透明のお酒で、チビチビ飲んではいけない。小さい杯に波々とついで、それを一気呵成に飲み乾す、その瞬間に感ずるところの痛快味が、この酒の命であるというのであるが、下戸の私が舌の上に数滴の雫をのせて、ジッとその痛快味の何パーセントかを味わおうとしたが、結局わからない。ジンに近いものの一種であろう。

日本で有名なロシヤスープは、この国では田舎スープと呼ぶので、このスープ一皿でお腹が一杯になるくらいであるが、通人は単にお汁を吸うだけで、皿の中の雑多なものには手をつけない。万一これに手をつけると、あとの御馳走に対して失礼してはいけないというのである。

寒い国だけにカツレツ式の衣のかかった油揚ものが多くて、この大国にかかわらず、野茶と果物が欠乏しているのも不思議でたまらない。恐らく革命以来農夫がまだ十分にその機能を発揮し得ないからであろう。

六、四人の画家

モスクワ、レーニングラードにおいて、私の見た美術館は五つある。

殊にレーニングラードのエルミタージは、冬宮に隣接した由緒ある建物であるが現在では冬宮の一部分まで連絡使用して、旧皇帝の宝物を陳列した、世界に有名なる博物館として重きを置かれているが、ピーター大帝以来、西欧の美術を金にあかして蒐集したのであるから、その数量においては驚くべきかもしれないが、イタリーの物、オランダの物、仏国の物などただ雑然たるのみで、この国のみが持つ美術においては、まだまだ泰西諸国に遠くおよばないという話である。私は案内者の説明を聞きながら、左の四人の絵を捨て難く鑑賞した。

レピン　人物画家としてイワン大帝トルストイ等如何にも重厚に描いている。しかし明るみが足りないと思った。

シシキン　森林画家として赤松の亭々とした森や林や強い光線を受けて赤みがかった影が面白いと感じた。

アイバゾフスキー　戦争画で有名であるが、日本海海戦の当時、露艦にのって戦死した人である。大作があるけれども、世界的に見ることは無理だと思った。

レピタン　野や森や、風景画家であるが、うまいけれど、どういう訳か、暗い絵が多い。

プロレタリヤ作家として、新しい絵はただケバケバしいだけで、論ずるに足らない未熟さである。レーニン、スターリンの額面を、恐らく何千枚か描いたであろうところの、もろもろの作家等、この国は革命後僅かに十八年、いまだに代表的絵画を見ることの出来ないのは無理もないと思う。政府は非常に奨励しているにかかわらず、立ち留まって正視するだけの値打ちある芸術的作品に会わなかったことを、私は率直にいう。あるいは私の知らない、よい作者があるかもしれないが、残念ながら見得なかったのである。

七、霜の花

かつて、初冬の朝まだき、上高地で霜の花の珍しさを賞美したことがあるが、この国の霜の花を初めて見た時、雪のようで、雪よりも美しい、生れてから見たこともない、光彩多趣の景色に接して、暫く茫然としたことがある。なぜ雪よりも美しいのであるか。白樺の梢の茂る枝々には白銀を塗ったように、光線を吸収して輝いている。霜のおりる朝は、大概は好天気で、暁方(あけがた)近く東方の明け染むるにつれて鴉(からす)の舞い狂うころには、一度は必ず日光の恵みを受けるというのであるが、私はレーニングラードからモスクワへの帰途、寝台車から見たこの大陸の景色は忘れることの出来ない印象を残している。窓から眺むると、線路際の雪除け林から、遠いこんもりとした森の先まで、野といわず、畑といわず、一寸近い白銀の堅い糸のような霜柱が雪と同じように積っている――といえるだろうか、敷き詰めた霜柱は、折から真っ赤な旭光(きょっこう)を受けて、右から左から、見ようによって異なった色々の色彩を浮べてくれるのである。遙かに見える寺院の尖塔や、田舎家のガラス窓に反射する超電燈のまばゆい光線や、それよりも一面に与える紫外線の強い射度から受ける、大自然のみが持つ荘厳なる景色は、恐らくこの国でなければ見られないかもしれない。私の筆ではその千分の一をだにいい現わせないのである。こんな拙い歌ではトテも駄目だ。

白樺に霜の花咲く丘の上は　濛々(もうもう)として夢の如くに
白樺の梢も白し置く霜の　花咲く森に朝日影して

八、雑詠露の国

白玉の露の国こそはかなけれ、君が代もなく、民草もなく
田も畑も、あるかなきかは白雪の、見渡す限りはてしなき国
幾夜ぬる汽車の窓より眺むれば、冬枯野辺の今日もつづきて
北海は白し南は黒海と、霞の海に恵まるる国

この国の県（あがた）の中に画き見る、大日本のいとも小さき

降らぬ夜も降る夜も同じ雪空の、明けても同じ日の影もなく

トルストイ、その面影に似たるらし、親爺の髯（ひげ）に息の凍れる

裏町や、氷すべりにつどいよる、子供盛りのたくましき哉

チョコナント毛糸の帽子横ざまに、娘盛りを男装にして

昼も早、夕くれそむる灰色の、空と見たるは月夜なりけり

国営のパン屋の店に目白押す、男女一列たそがるるかな

高らかに何に唄うらん人むれて、軒のつららを折りながらゆく

◇

赤皮の外套（がいとう）着たる乙女子の、雪ふる中を勇敢にゆく

冬の日はかくあるべしとききながら、今日も吹雪にとじこもる哉

百花妍（ひゃっかけん）を競う花屋の窓の外に、吹雪をよけてあかず佇む

鉢植の赤き花咲く窓際に、雪つもりけり妹の小家の

ソビエット・ロシヤに於ける
演劇と映画

モスクワのスエルドロウ記念広場（いわゆる劇場広場、中央が大劇場、向かって右、小劇場）

モスクワ大劇場のバレー「三人の太った男」舞台面

モスクワ、レアリスチック劇場における「貴族」舞台面

□

十一月十五日朝モスクワへ着いて、その日の午後四時、国際文化協会（ＶＡＫＳ）のお許しを得て、アカデミロリ小劇場付属のシチエプキン演劇学校を訪問、校長バッカチー氏の案内によって参観した。授業中の教室や、舞台のある広い試演講堂等、充実しているのを見たが、生徒は現在八十二名、男女混同で、近世文芸史、露西亜演劇史等を教授しておられた。年齢に制限はないと見えて、相当成人した人もあった。今やこの国では演劇が非常に盛大で、各方面に素人芝居が大流行である。殊に全国の集団農場の中には、必ず劇団が組織されて、これを指導するために、モスクワから専門の俳優達が出張する。その多くは純芸術的傾向であるというのも面白いと思う。バッカチー氏はその理由を国民文化向上の結果だ、と説明せられたけれど、実際は俳優の給金には伸縮の融通性があって、普通の人達よりも非常に恵まれているからだというのが、主なる原因であるそうだ。この国のように、芝居も勿論国営であって、費用はおかまいなしに支出する。損得を度外視して連日興行するのであるから私達の考えで律することは出来ないが、モスクワだけでも国家の管理する劇場は大小三十八あって、その主なる劇場は付属の劇場学校を持っている。そして劇場の経費から学校を経営しているのであるから、生徒の志願者の多いのは当然だと思う。スタニスラフスキイ学校の如きは新生徒六十人に対し、二千人以上の志願者があった。この学校は僅かに二十人の募集に対し三百人あったと自慢されておられたが、学校の所在地は私の泊まっているサヴォイ・ホテルの直ぐ近所で、古い二階建の革命以来手入れをしたことのない、汚ない建物の二階だけで、その奥の方はバレー学校で、これは生徒も非常に多数だという話であった。

□

その夜は昔の帝室劇場、今でもアカデミロリ大劇場と呼ばれる大劇場にバレー「赤いけしの花」を見物した。この劇場は二階正面に玉座がある六階桟敷で、金色燦爛(さんらん)

客席二千五百人、実に壮麗なものである。バレー「赤いけしの花」は革命後新作されたものの中で、従来数回興行されているものは、この作ばかりだといわれている程好評であるが、その筋書はすでに日本にも紹介されていることと思うから簡単に説明すると、上海(シャンハイ)か香港(ホンコン)か、ある波止場にロシヤの船が横付けになっておる。その船腹から支那(しな)人の苦力(クーリー)が多数で荷物を運搬している。監督が彼等を虐待するのを、ロシヤ人の船長が見兼ねて、船員をしてその労働に参加せしめて苦力達を喜ばせる。丁度その時美しい歌姫がそれを見て、ロシヤ人の船長に感激して、恋心から赤いけしの花を捧げる。それを傍から見ていた歌姫のパトロンである支那の紳士が、嫉妬のあまりに、友人の英国人か米国人か分らないが、ある洋人と共謀して、船長を毒殺せよと歌姫に強要する。歌姫は煩悶に堪えず、阿片の夢にいろいろの幻想を描くところが二場あって大がかりで美しい。最後に船長を毒殺する場面になって、とうとう盃を船長に渡す。船長がそれを飲まんとする時、歌姫が飛び付いてその盃を取り戻すと、紳士はピストルで歌姫を射ち殺す。それまでの間に赤いけしの花が、二人の恋のシンボルとして巧みに用いられ、最後に船長が懐中に秘めて持っていた、その赤いけしの花を美しい歌姫のかばねの上になげると、同時に赤い国旗が下がって、インターナショナルの伴奏楽に目出度し目出度しという宣伝劇であるが、主人公の歌姫は、カンダウーロワという女優であまり感心しなかったが、船員達の総踊りの中に随分と面白いものが沢山にあった。オーケストラは彼是百五十人、舞台に出る俳優は五百人以上、十歳以下の子供を多勢使ったのが面白いと思った。作者はクリールコ氏、作曲はグリーエル氏で、支那曲を取り入れた大がかりなものであるが、日本ではちょっと真似は出来ないように思う。宣伝劇もここまでいくと馬鹿らしく感じない程に、芸術味の横溢に陶酔させられるから嬉しいと思った。

□

十六日の夜は有名なる芸術座に、トルストイの「復活」を見た。日本で見た「復活」とは、全然異なって、流石に本場だけあって始めから終わりまで息詰まるほど緊張して見た。舞台正面の引幕は濃い鼠色に、下段六尺余りに渦巻の模様があって、その中程に白い鷗(かもめ)が一羽、四角の無地の中に縫い取りされてあるが、これぞチェホフの「鷗」によって初めて芸術座の真価を発揮したという尊ぶべき記念である。客席は彼是千二三百人程入る三階建で、入口は劇場とは思われない質素なもので、建物も実に簡素に出来ている。元来この芸術座は、スタニスラフスキーという金満家の次男で、俳優であり、同時に演出家として重きを置かれた人によって、帝政時代に設立せられ大成したものであるが、革命後にも彼の芸術的功労は相当に尊敬せられた結果、資本家としても有力なる一人であるにもかかわらず没落を免れて、立派に現存したという事実は、如何にソビエット政府が芸術の力を理解し、これによって人心の緩和を計らんとしつつあるかを知るに足るべしである。

□

私はこの芝居で意外な事実を見た。カチュウシャはエランスカヤという女優で、実にうまいと感心したが、ネフリュドフ役は何とかいう若い俳優であったが、このネフリュドフの役者として芸術座唯一の適材であり、現にこの座の座頭である有名なる俳優カチャロフ氏がこの度自ら進んで、舞台監督でも演出家でもあるという立場を買って出て、先ず序幕の開く前に、幕外に出て平服のまま、トルストイの原作（のままだという）の名文句をもって朗読的に説明する。それから幕があいてからも時々舞台に出て、カチュウシャが、今この時、どう思っている、彼女の心臓は波立って、頭の中には濁った水が動いている、というが如くに心理解剖の説明をする。脚本でいうならば「ト書」を説明する。丁度、日本の歌舞伎のチョボが俳優の仕草を説明するように、これは日本の歌舞伎の形式を採用したという説もある。二幕目は、ネフリュドフの一室で一人舞台である。カチュウシャに、シベリヤ流刑の判決が下ったのは、自分の説明が不充分で力が足らなかった結果で、誠に申し訳がないと煩悶している。舞台下手の椅子に腰をかけて憂鬱のおもてをして無言でいた。それから立ち上がって上手のピアノの前にゆき、ピアノに対して無意識に、キイを叩き、またピアノにもたれてうつむく。この時カチャロフ氏は、ネフリュドフの心中煩悶の内容を説明し出した。そして手まねから姿勢から、仕舞には舞台の真ん中に出るのみならず、ネフリュドフの腰をかけておった椅子に自らも腰をかけて、スッカリ、ネフリュドフになって説明する。この幕が二十分であったが、彼の説明は十五分かかった。その間本もののネフリュドフはピアノにもたれて、うつむいていたのを見て、私はあまりにカチアロフ氏の親切すぎるのを不快に思った。これは、俳優が無力であるからであろう。かくの如く彼の説明を必要とするならば、説明を必要としないように脚本を改作し、ネフリュドフをして多少にても、独自の手段によって心理描写を遂行せしむるものが有効であるに違いない。然らざれば、舞台にあだかも二人のネフリュドフが現われているようで、観客に、そこにある不安を与えるので、現に舞台において煩悶しつつあるネフリュドフが、如何にも可哀想に思われる。もしこの間、カチャロフ氏の長々しい説明がなかったならば、ネフリュドフは何等かの態度をもって、その煩悶を表現することに努力したであろうにと思った。しかしこれは、私に露西亜語が判らない結果であるかもしれない。この場合、トルストイの原作をとても美しい声と抑揚とによって朗読する方が、この国の人達には、原作の名文句に魅せられて、それに陶酔する方が、ネフリュドフのいい加減なせりふより、あるいは、より多く感銘があるかもしれない、と考えてもみるけれど、もしこれから舞台監督が、如何に名優であるからとはいえ、舞台に上がってこれだけの権威を振い得るものとせば、かえってその弊害が多いのは自明の理である。要するにこれは、あまりに俳優が無能の結果であって、一時的の変態であろうと思う。カチュウシャにしてもそうだ。この女優が『その説明は私がこうやって黙っている間に、私自身の工夫によって、それを観客に分かるようにして見せる。もしこのところをこうするならば、あるいは脚本の中にこれこれの原文を入れてくれるならば』と、抗議をいうべき筈のものだと思う。私はあまりに座頭たるカチャロフ氏のために、舞台にいる俳優達が如何にも可哀想だと痛感したのである。

□

最後の幕は、やはり赤の宣伝になっている。カチュウシャがシベリヤへ流刑の途中、同行の連中はいずれも革命家であり、革命思想を強調し、近き将来においてこの国は我が党の天下になるから見ておれ、というような調子で、カチュウシャはネフリュドフの上奏によって、皇帝から特許が出たから再び本国へ帰れといわれても、それを拒んで革命家と一緒に勇ましく革命歌を唄ってシベリヤにゆく。雪の朝はほのぼのと明けて太陽が輝くと、赤い日の出と共にインターナショナルの国歌が場内に響いて、舞台一面が真っ赤になって幕が下りる。少しも言葉の判らない、私に息づまる程面白く見せるのは、脚本がよいせいかもしれないが、俳優の力であると驚いた。

□

この国の芸術座は一年の中、六、七、八の三ヶ月休演するだけで、一年中連日開演している。それが切符が簡単に手に入らない程、盛況であるのを見て、私は考えさせられた。しかも夜は十一時半から十二時終演というのに、インテリの人々がここに蝟集して、それから翌朝平気で仕事に行く事が出来るというならば、この国のインテリ階級の人達は、この種の芝居によって慰安を求め得る程、高級性なものであるとせば、実にエライものだと思う。成程土方君などが、若い時にこれを見て、日本に帰って築地小劇場を創立、日本のインテリ相手にやれるものだと思ったのも無理はない。実際試みると、築地小劇場には一年平均にて一回、僅かに百人の観客すらもつなぎ得なかったそうだ。私でもこの国でこの種の芝居が一年間休みなしにやれるならば、有楽座の方針も、大衆性だとか、国民劇の創成だとか、そういう理想は理想として、芸術本位の立派な芝居を遂行し得ない理屈はない。日本人だってこの国のインテリに比較し、それ程劣るとは思われないから、という風に考えさせられるのである。

□

どうしてこの国ではこんなに芝居が繁昌するのであるか。すでに革命前においても芸術座は採算上においても成功している。現在は政府の宣伝機関として、各方面に切符を配布し、無計算であるから繁昌するのであるという話であるが、しかし事実は、現に私が見物した劇場のみならず、あらゆる劇場は切符を劇場において広く一般に販売する方針に改正せられ、それが実行されつつあるのである。私はいろいろの方面にその理由を質問した。その美麗なる帝室劇場が、未だかつて夢見たこともない大衆に開放せられて以来すでに十七八年、かつては正面玉座と左右の貴賓室と、そこには綺羅星の如き上臈衆（じょうろうしゅう）の晴衣（はれぎ）と、いかめしき将軍や美しい公達（きんだち）や、それから支配階級とによって独占せられていた宮殿のような劇場が、プロレタリヤのために、彼等唯一の娯楽場として一ヶ年連日無料で見られるということは、驚くべき芝居熱を発酵せしめたに違いない。革命当初の方針は私有財産を許さないのであったから、働かざれば食うべからず、働くもののみが持つ権利として宵越しの銭を持たない矜持（ほこり）は、芝居に行くよりほかに途はないのである。物質欠乏、娯楽も何ものもない。彼等に与えられたものは女と芝居とのみであった。女は国有的に解釈されて、その生児は国家が引き受ける。父子（おやこ）の関係は旧式である。家庭本位そのものが、私有財産や所有権の鉄鎖であるから、先ず家庭を破壊し、相続権を認めず、男女関係を自由にし、一方の届け出によって結婚解消を公認する等、世界の耳目を驚かした。この種の便宜は男女相い寄るところ芝居よりほかになかったのである。この国が世界から兎や角いわるるにかかわらず、五ヶ年計画十ヶ年計画等、着々としてこれを遂行し得て、今や貯金を奨励し、能力のよい働き手には不平等の巨額の賃銀を仕払い、国民を強要してまでも国債を引き受けせしむる等、事実において私有財産は認められ、土地家屋の占有権はルーブルをもって譲り渡しが出来るのであるから、共産主義は天下を取るまでの名目と、手段と、便宜とで、結局将来は国家統制資本主義の制度を建設するに至るだろうと思うまでにこぎ付け得たことは、この芝居見物が如何にこの国の国民大衆のために役立ったであろうかを確信する時、劇場は民衆唯一のクラブであり、公許されたる娯楽機関であり、恋愛遊戯の発酵室であった事は争うべからざる事実であると思う。自動車工場、菓子工場等の如き市内の工場は勿論、農場方面にも潮の打ち寄するが如き勢いをもって、素人芝居は今やソビエット連邦各方面に瀰漫しつつあるから、その前途の進歩発展はけだし計り知るべからずであろう。

しかも入場料は中々高いのである。大劇場のオペラ、バレー等は私達外国人は金貨三ルーブル（米ドル一ドルは一ルーブル十三コペック）、この国の人達は十五ルーブルから二ルーブル半まで数等に区別されているが、日本よりも余程高い。それでも連日大入り満員で、切符の前売りがいつも売り切れで、にわかに見たいからというてもむずかしいという話である。私達は、国際文化協会の御好意によって、あらゆる劇場を、希望通り見物し得たのであるから、私はその御礼がてら敬意を表しに訪問したのである。

□

そして私は驚いた。その事務所は革命前まではある富豪の邸宅であったというが、その建築はルイ十四世時代の好みで、私達が通された応接室は白亜金色燦爛として、それにふさわしい椅子テーブル等、あだかも宮殿のような貴族的装飾の中に、副会長チルニアツキー氏と国際局長リンデイ夫人にお目にかかったのであるが、副会長は顎髯のある如何さま革命家らしい堂々たる壮漢で、リンデイ夫人は才気煥発、精悍の気眉宇に迫るともいうべき賢夫人である、と見受けた。日本の歌舞伎の話や、音楽の捨て難き特種性を持つ一例として、米川文子の琴の妙手を賞める等、如才ない上に、この国が歌舞伎より受けたる影響について、花道を取り入れたる劇場の現われたることや、映画の話になって私の持論である『映画によって地理、歴史、動物、植物等教育速成の途を開くならば、修学年限を二三ヶ年短縮することが出来るのである。この国の如く映画国営によって一定の方針を立て、一挙これを全国に及ぼし得るのであるから、映画を単に宣伝の機関とするのみならず、これを学校教育に採用せざるを不思議とする次第である』と話したところ、この国は失業者の生れないように学校教育は長い方がよい、いくらでも長く学校に置く方が利益であると、顧みて他をいうのみならず、日本の映画界について質問を受けたのであるが、実はこれについて困った話を聞いたので、大使館の御連中からも、また新聞社の特派員からも、在留友人からも『この国では日本の映画は大失敗である。この春国際映画大会に日本から上山草人(かみやまそうじん)君が「若旦那日本晴れ」を持って来たが、上映前までは必ず日本が一等を取ってみせるという意気込みであったが、いよいよ上映すると、実に見るに忍びない愚劣なもので、これが日本映画の代表的逸品だというに至っては、むしろ国辱で穴もあらば入りたく、日本人同志お互いに顔を見合わせて赤面したが、なぜ日本ではよい映画を作り得ないのか』と詰問された後であるから、すでに鼎(かなえ)の軽重を問われている以上は、あまり深入りしては損だと思って、日本では文部省作の教育映画は一般から歓迎されていないから、この国の科学、歴史等、教育映画こそ必ず見るべきものあるを信じて楽しんで来たのであるが、それがないので実に失望した、と話してお茶を濁したのであるが、しかも宣伝映画となると、実に見るに堪えない傍若無人であるのに驚くのである。私は今全市に上映中の『飛行都市』という排日映画を見たのであるが、試みにその概略をお話しすると、近頃この国に「国土を守れ」という宣伝が流行し、さきには「ムーンストン」という排英の宣伝映画があり、その次に生れたのがこの「アエロプラット」（飛行都市）であるが、太平洋方面の国境地方に、反ソビエットの一団があって、それをそそのかし、爆弾を携えて露国領に侵入せんとするその指導者某国人（日本人）は、下着に麻の葉縫いの稽古着を着て、腰に長い日本刀をさしている。時々エイエイと掛け声をして、居あい抜きの稽古をしている。その青年がある日同類を引率して露領を犯すと、国境の番兵に発見されて、そこに争闘が起こる。折しもソビエットの飛行機が飛んで来て爆弾投下、やがて飛行将校が降りて来てその日本人に肉迫すると、彼はその上着をとり、もろ肌ぬいで、いよいよ切腹をやり出す。型の如く刀を袖に包んで、今や一文字ザクッと血がほどばしると思いのほか、卑怯にも切腹をやめて降参するのであるが、その間に朝鮮婦人と露西亜人とのロマンスから赤ん坊が生れる。その喜びに露鮮親善の場面を見せる。最後に数百台の飛行機の示威運動があって、どうしても広い国境を守るには、そこに「飛行都市」を造らねばならぬという宣伝映画であるが、芸術的に何等の効果のあるものでなく、ただ、いやがらせを見せるに過ぎない拙作であるが、表面から抗議を申し込むとしてはあまりに大人気のない馬鹿馬鹿しいものであったが、かくの如く非芸術的の映画のみかというと必ずしもそうではない。有名なるエルンスト・ルビッチ氏監督のもとに二年計画をもって着手中の映画は、コーカサス方面のロケーションにおいて、どうしても電線が邪魔になるので、その付近の電柱移転を政府に申し出でたところ、交通省の大反対あるにもかかわらず、芸術のためだといって、政府は電柱移転を許可したという話であるが、芸術に対する理解力は残念ながら日本は到底及ばないだろうと思う。しかし国民は正直である。あまりに宣伝映画に食傷している彼等は、たまに外国映画の軽い滑稽ものが上映せらるる時は（この種のものより許さないのである）場内がほがらかに、大入り満員、如何にも映画館らしい空気が漲る(みなぎ)るという話である。

□

日本の花道を採用したという劇場は、メイルホールド劇場であるが、この国のエライところは芸術に対するその研究的態度で、私は面白い話を在留特派員丸山(まるやま)君から聞いた。有名なる芸術座を世界的ならしめた元老の一人である、俳優兼演出家スタニスラフスキー氏の持論として、オペラ役者は芝居がマズイから駄目だ、歌を唄う時に、サテこれから私は歌を唄いますというように咳ばらいをしたり、態度を改めて鹿爪らしく唄い出すので、それではその役の気分が現われない、ただ歌うというだけで面白くない、もっと芝居を研究して上手にやらなくてはイケナイという意見を発表したところ、それは一応理屈がある、それでは帝室大劇場のオペラ役者に芝居を教えて貰いたい、よろしい、という事になって、一つの仮劇場を設けていろいろに教えてみたが、結局どうもうまくゆかない。オペラは芝居にあらず、オペラにはまたオペラの演出ありという反対論もあるので、オペラ役者に芝居を教え込むよりは、むしろ新しく、芝居が出来ると同時に歌が唄える役者をこしらえて、それから出発した方がよいという事になり、その劇場をスタニスラフスキー座と呼んで、その大成を期して研究し上演しているのであるが、必ず芸術座同様に露西亜の名物となるだろう。この国ではこれを「唄う劇場」と呼んでいる。これが新時代の傾向として注意されているという話であるが、果たして然らば、早くすでに二十年前から私が主張して来た、我が宝塚一党の方針と一致するので、偶然とはいいながら、愉快に堪えない次第である。

□

この国には日曜日が休日でなく、毎月六、十二、十八と六日目に休日があるので、私は十一月十八日、オペラの大劇場にマチネーを見物した。それはマチネーには子供本位のお伽ものがあると聞いたからである。この日のお客様は七割は子供で、大入り満員というよりも定員を超越して、一つの椅子に、二人三人の子供がよせよせになって座っているのも面白く賑かであった。出しものは三幕ともさして面白くなかったが、見物している子供達の綺麗な、賢そうな体格のよい、上品な男女のそろっているには驚いた。恐らくこの国のインテリ層の人達であろうと思うが、栄養不良どころか、到底日本人にはこれ程血色のよい子供達を集めることは出来ないだろうと思った。子供の中に、カーキ色の服に赤い襟飾りを結んでいる男女は共産党員の子供達で、ピョニエールと呼ばれて正式の行列のような時には、それに参加して威風堂々と進行するそうであるが、劇場内においても、自らあたりを睨視(げいし)する態度であるが、それよりも眼につくのは、昔の正面玉座にこの国の政府大官のお姫(ひい)さんと覚しき、いともやんごとなき娘さんが四五人おられたが、プロレタリヤという観念からちょっと妙に感じたが、考えてみれば私が間違っている。この国も革命後すでに十八年を経過している。無産階級の天下だなぞというけれども、十八年の天津風(あまつかぜ)、日本の経験から見ても、明治維新に薩長の足軽共は、十八年には華族令によって公侯伯子男、栄冠を得て、鹿鳴館(ろくめいかん)でダンスの稽古をしている。この国においてもまた然り。カラハンという外交官はセミョノバーというナンバーワンの女優とロマンスよろしくあって、軽袖羅衣(けいしゅうらい)、美しい背筋の美を大夜会に輝かしている。モスクワはクレムリンの城内大宮殿アレキサンドルの広間につづいて、聖ゲオールギーの広間には晩餐大夜会が催されて、ソビエット大官の大舞踏会には、帝政時代同様の美しさが、展開せられるという話である。

私は勿論見ないからわからないが、いつまでもプロレタリヤではない。この大国政府の高官である以上は、日本に来たヨッフエ氏の顔ばかりを思い出してはイケナイ。野武士であっても政権をとれば平家(へいけ)は公達である。源氏(げんじ)は御曹子である。豈(あ)にソビエットの国のみを咎むるに及ばんやと思えば、この劇場内の麗しい美しい大衆に不思議はないのである。

□

夜は再びこの劇場でバレーを見た。チャイコフスキー氏三名作の一たる「スワンの湖」四幕で、クラシックのバレーとして実に傑作だと思った。主役女優の名は忘れたが、いまだにその印象が残っている。ロシヤン・バレーという一つの形式を持つ舞踊が、この国から生れて世界を風靡し、アンナ・パブロアという、前後になき名優によって確定的になったこの国のバレーについて、私はいろいろに考えさせられた。ニューヨークのメトロポリタン・オペラハウスで見たロシヤン・バレーは如何にもクラシックのみで、しかも単調であるために失望したのみならず、これでは日本へ持って行くと仮定して、二週間の興行はむずかしいくらいに思ったのであるが、元来バレーは音楽を相当に理解する人々にあらざれば、ただ見ただけの勝負では、前途、必ずしも楽観は出来ないものと思っていた。アクロバチックの曲芸めいたものや、曲線美横溢の裸体舞踊が天下にはびこっている現勢から見て、あのままのバレーが果たして押しきってゆけるか、と実は迷っておったのであるが、この国へ来てこのバレーを見物して、羨ましいと思うことは、この国の人々は皆いずれも音楽を理解している点である。しかも高尚なる音楽を傾聴し、ジャズを排斥する態度を持つことはエライものだと感心している。私の泊まっているホテルの音楽も、夜十二時すぎでなければジャズを演奏しない。昨年までは政府の命令によって一般にジャズは禁じておったという話であるが、何故にジャズを解放したか、クラシックの音楽のみでは国民が承知しなかったのであるか、その辺のことは聞き漏らしたけれど、兎に角大衆が音楽に親しみ、また音楽が生命であるオペラやバレーを生活の糧と心得ている点は実に羨ましいと思う。私は、バレーの現状からその教育の方法について研究の必要を痛感し、この大劇場付属のバレー学校を参観することによって、大いに得るところがあったと喜んでいる。

□

バレー学校は、先達て見た芸術座付属学校の奥庭の正面にある四階建の堂々たる建物であって、毎年三十人の新生徒を採用し、九ヶ年間授業をつづけるので、八九歳から十六七歳まで普通学を教えると同時に、舞踊の基礎は勿論、将来大劇場のスターとして役立つあらゆる科目を教えるので、途中いろいろの事情から退学するものがあっても、補充しない方針である。現在、在学生は男六十名、女百五十名、合計二百十名あるそうだが、来年春卒業する最高級の生徒は、僅かに九名のみで、十六七歳のいずれもよい体格の美しい娘さんばかりであったが、丁度授業時間であったために実際先生から習っているところを見たが、明日舞台へ出しても、日本ならば立派なスター振りである。正に八ヶ年の修練が積んでいるからである。二年生の男の組と女の組のダンスの教室も見た。これは宝塚そのままの教えぶりであった。男女混合の普通学科の教室を見た。普通学の先生を別として、舞踊の方だけで十六人の教師をかかえているが、その経費はすべて大劇場から支出し、生徒の月謝は、毎月四百ルーブルの収入ある家庭の人からは支出し得るだけ支出せしめ、支出の出来ない身分の人には制服は勿論、多少の手当てまで支給して人材を集めているということである。そしてこの学校を卒業したからといって、必ずしも俳優たるを要しない。自由放任であるのも面白いと思った。これは帝政時代からの方針であるが、革命後は昔よりも厳重に、規則正しく規律を具体化したという話であるが、私はこの学校を見て感じたことは、宝塚の音楽歌劇学校も、予科一年を小学卒業後三ヶ年として、子供の時から、みっちり勉強せしめ、舞台に立つまでに、少なくとも二三年の教育を完全に教え込むように改正し、なるべく来年四月から実行したいものだと考えている。

□

十九日の夜はレーニングラードの昔の帝室オペラバレー劇場にオペラの「アイダ」を見た。ここもまた大入り満員である。この劇場はモスクワの大劇場よりも、建築は二十年も古い。モスクワより一階低く五階建であるが、大きさは殆ど同一である。ここは全体の生地を白色に仕上げて、金色の唐草模様の装飾で、桟敷のカーテン、その他の緞帳（どんちょう）まで、すべて緑色であるから、赤地のモスクワより地味ではあるが、かえって高尚でよいと思った。オーケストラは百二十人くらいで、ハープも二台あった。アイダ役のケルベルトという女優は中々うまい。アイダの父も、王様とその娘も、近衛兵の大将も、いずれも立派なもので、これこそこの国の名物として誇り得べきオペラだと感心した。革命政府の移転後第一流の俳優は、モスクワへ引き抜かれたという話であるが、付属学校は昔からの伝統と、老大家居住の関係から、依然としてレーニングラードの方が優秀であるために、人気のある美しい若手はモスクワの方へ移ったけれど、実力のある、渋味のある、堅実な歌い手は、レーニングラードに止（とど）まっている人が多いから、昔風のオペラはこの地の方が面白いという話である。現在劇場の数は、大劇場同様に見なさるる立派なもの八ヶ所あって、小さいものは彼是二三十あるという話であるが、要するにこの国では音楽と演劇とをもって、治国平天下の武器と心得て、国家が全力を尽して指導している点が羨ましいと思う。日本のように下品なる山師の仕事として芝居を取り締まる官憲を考えると、なさけなくなる。たとえば演劇を保護する点において、モスクワ市内にはジプシィの団体にも一つの劇場を与え、ユダヤ人の団体にも一つの劇場を与えて、国内における同一人種のために、その国語をもって芝居をさせて、彼等を満足せしめている。私はジプシーコーラス団のバラエテーをドニエプルで見て、ジプシィの言葉と、昔ながらの風俗そのままなる流浪の一群から、肩をふって同時にお乳をふる彼女等独特のダンスに、悲哀の感に打たれた旅愁の興味を忘れることは出来ない。私は長たらしく、芝居や映画や、この国に来て見物したありのままを記して、この芸術国に敬意を表するものであるが、しかし、これは私の考えが間違っているかもしれない。それは革命以来、この国は世界の流行や、思想の潮流と断然区画された特別の存在であるから、私が感心したところのものは、あるいは力負けであるかもしれないという点である。

□

私はこの国を純演劇の国、オペラの国、バレーの国、クラシックの音楽の国として国民の昔気質を礼讃したのである。しかし、この国は革命後十八ヶ年、その間世界に成育したる新芸術について、世界各国は自然の潮流を防ぎ得ずして、あるがままにその推移を傍観し、放任し来たのにもかかわらず、鎖国主義を固守し、外国との交渉を退け、新経済策の樹立に日もこれ足らず、世界各国の如くに新芸術に手を出すいとまがなかったソビエット・ロシヤは、外国の新聞書籍は勿論、芝居映画等いやしくも外国のものは厳禁しているのである。近来映画の一部をチェコスロバキヤ等、密接関係のある親善国より輸入するを例外とし、依然として革命前の芸術のみを繰り返しておるのであるから、国民は実際他の欧米諸国の新芸術の傾向については、全然無知であるのである。近く過去十年の間に、ジャズの音楽が、如何に猛烈にこの国を除いたる他の文明国を征服したるか。ウィンの如き音楽とオペラの国ですらも、八十四の劇場は僅かに三つを残して他は流行のバラエテー、レビュー、映画に転向したそうである。トーキーが生れたために、世界のあらゆる劇場が不況に陥った事実は、今更説明するまでもなかるべし。独逸（ドイツ）の如きクラシック音楽の大本山ですらも、オペラの劇化は、その演出を一変せしめたのである。結局オペラと純演劇は商売にならないものとして、保護を要する特種の芸術と見なされたものである。そしてレビューやバラエテーが、オペラと芝居を奪取したのであるが、もしこの国も世界各国と同一資本主義経済の潮流にさらされておったならば、当然その影響を受けて、ジャズ音楽を中心としたるバラエテーや華やかなレビューに同化しておったかもしれない。現にトーキーすらも、この国では僅かに宣伝用の武器として取り扱うのみで、たまたまその破毀を免れんがために一年に五本くらい芸術的大作を発表し、その非難をカムフラージしているのであるが、実際トーキー映画によって教育方針を樹立するだろうと、私の期待した事すらも、手をつけ得ない程、他の方面に忙殺せられているのであるから、国民に新芸術としてのレビューと、バラエテーや、トーキーを満足に提供せしむる事が不可能であるから止むを得ず、国民は何にも知らずに、純演劇や、オペラや、バレーに随喜の涙を流しているのであるかもしれない。そうであるとしても、それは悪いことではないかもしれない。どちらの国民が幸福であるか。俗化したるジャズの音楽を中心とした世界と、クラシックの音楽を中心としたる昔ながらの世界と、どちらがよいか、私には判らない。が、ただ過去を顧みて、これだけの事は断言し得ると思う。この国ではかつて世界の劇界に一大刺激を与えたイデオロギーのいろいろの演劇が、国民から厭(あき)られた結果はどうであったか。およそ芝居の面白味は、古い女の大勢の中に一人の新しい女が突如として生れる所にノラの舞台が生れるのである。あらゆる女性がノラである時には、むしろ旧き時代の犠牲の精神が謳歌せられるであろう。共産主義の国に、イデオロギーの芝居が当初宣伝としては感激せしめたに違いないが、その国状が赤の真裸体を露出する時に、それに関連する芸術に何人が興味を持ち得るであろう。この国の人は、早くすでにこの種の芝居を見限って相手にせなかったのである。ここにおいて、ソビエットの当局者は、青年文士をして全国の農園に工場に移動せしめ、各方面に労働階級の精神とその生活の実体を基調としたる、新しい文芸や新劇を提供せしむべく実行したものである。しかもそれによって生れたる作品は、生硬無味であるが、たまたま讃美すべき値打ちのものが現われると、それは禁止せねばならぬ現実暴露であって、当局者の期待せる労働文学や、無産階級劇は今なお生れ得ないのである。革命後僅かに十八ヶ年、この国はいまだ混沌として安定し得ざる、未知数の偉大なる新国家であるから平和の時代の果実とも見るべき文芸が、成熟せざるのは怪しむに足らないのである。即ち国民のすべては政府の与えたる新劇を顧みず、宣伝映画もまた、早くすでに厭かれつつある形勢を見て、昨年初めてジャズの音楽を許し、宣伝を含まざる興味本位の映画を輸入し、オペラやバレーや、演芸や、すべて革命前のあらゆる有名なものを繰り返し開演する方針によって、暫らく大勢の推移を見ている時、丁度、この時私はそれらの旧い芸術に親しみ感激したのである。従ってこの状態がいつまでつづくか。この国の人達はこれによって満足するであろうか。この国の人は、政府の関係者以外には外国へ出ることは許されぬのである。国の文化的施設は勿論、その芸術すらも閉鎖されてもいるのである。いつまでも知らぬが仏でおられるだろうか、私には判らない。ただその異なれる二つの芸術が偶然に対立し得ることは、この世界に全然異なれる二種類の国家が存在する当然の結果であって、他日この国もまた国家統制新資本主義が樹立され、世界共通に自由に開放せられる時は、純演劇やオペラやバレーが現在歓迎せられる如く、果たしてこのまま国民に受け入れられるだろうか。興味ある他日の問題として筆を擱く。

欧亜国際列車株式会社設立案

□

倫敦（ロンドン）における軍縮会議は決裂した。その結果として国際関係に善処すべき日本の外交政策は、その陣容を新たにし、あらゆる機会を利用し、ややもすれば、孤立無援の境に引きづられてゆく運命から免れることを工作する必要あるは、いわずして明白である。ここにおいて国際関係は、美術または芸術の方面においても、学術あるいはスポーツの方面においても、接近の度を密にし、堅苦しい軍備問題を避けて、朗らかに握手すべき糸口を発見し、それに努力すべき時代が来たように思う。私はこの意味からも、欧州各国を旅行して国境の五月蠅（うるさ）き検査や手続きが、旅行者にとりて、如何に共通の苦痛であり、これを除去することが各国民の最大希望であることを実験し、特にソビエット・ロシヤの国境における諸般の手続きに戦々恐々たる実情を見ては、到底不可能であると知りながら、この機会において欧亜国際列車株式会社設立の夢をえがくのである。

惟うに、この種の空想は、何等の効果なく徒労であるとしても、しばしばこれを繰り返すことによって、外交的話題の密度が加わり、時には微笑となり、感情を去って冷静に、公平に時局の大勢を批判することを得るに至らば、世界平和のため、再び軍縮協定の正道を発見し得るかもしれないと思うのである。

□

私は今、巴里はコンコルドの広場の前にあるホテルの一室に在って、昨日も、今日も、日本の悪口の新聞記事に聞かされている。英国も、米国も、仏国も、いささか鼻息の荒い日本の立場を、悪い様に解釈して世界の隅々まで宣伝し、放送しているのである。恐らくこれから先も、しばしば日本を槍玉にあげて痛快がるであろう。

そして、この国にいると、いろいろの事を聞かされる。何等外交的知識のない私には、ひとしお珍しく傾聴させられる。そしていつの間にか私自身が、外交畑の思慮臆測をたくましくして、分別顔に批判するようになったのは、我ながらその大胆さに驚くのである。
一、ソビエット・ロシヤは、先月の大会において日本並びにドイツの野心に対し、軍備拡張の必要を宣言し、今に日本は戦争を仕かけるものの如くに強調しているが、これは英米仏の三ヶ国が、日本の対北支政策を牽制せんとする手段である。いろいろの材料をまことしやかにロシヤに内通しているので、ロシヤはそれにだまされているのである。
一、いや、ロシヤはだまされてはいないのである。だまされているような顔付きをして、露仏同盟の締結をなすと同時に、フランスの金を再び借り出そうという手段である。
イギリスはロシヤをおだてて、対日策を講ぜしむるだけでも利益であるから、日本に対する情報は、今やイギリスが一手に引き受けて、ロシヤに提供しているのだ。
一、ロシヤはドイツを敵として警戒している。ドイツもまた、ロシヤと一戦を交えて多年の希望であるウクライナ地方を侵略しようと計画している、というが如きは表面の宣伝で、ドイツはロシヤに対して、実際それ程野心はないのである。

ただポーランド、チェッコスロバキヤ等新独逸連盟の計画に、ロシヤをして異議をいわしめない準備工作である。それが成功するまでは、一方では日独同盟を秘密に策し、東西からロシヤを狭撃せんとする態度を執っているので、結局馬鹿を見るのは日本であるかもしれない。

一、日独同盟などは、ウソから出た誠ででもなければ、如何に日本がお人よしでもそんなものが出来る筈はない。日独同盟によって日本に何の利益があるか、何もないではないか。何の利益もない両国間に、同盟の起こり得る理由はないではないか。

一、いや、そうではない。日本人には大野心がある。日本人は結局、英米仏等の先進国とその利害相反する時代の来ることをよく承知しているが、それまでには、もう一度日英同盟を企てる。しかもそれは英国から持ち込ませるように、英国をいらいらさせて、日英同盟をするのである。と同時にアメリカ、フランスのみならず、ドイツをも加入せしめて五国同盟をつくり、世界の平和を維持する美名をとって、それからロシヤ征伐をやる。この場合に戦争は日独同盟でやる。他の三国は局外中立を守って東亜及び南欧におけるロシヤ分割の仲間入りだけは、如才なく、油断なく割り込むという暗示があるから、この同盟は成立する見込みがある。

一、そんな馬鹿馬鹿しい話があってたまるものか。第一ドイツとフランスと同盟するというが如きは、お月様が西から出ても実現すべき性質のものではない。

一、それだから素人は困る。ドイツは今更、再び、三度、フランスを敵として策戦するが如き、そんな旧式な態度に出でるものではない。ドイツは自分達の考えている大独逸国の立て直しについて、如何にせば、それが堅実に大成し得るかを考えるとフランスと争うよりもフランスと提携して、その理想を実現する方が賢明であり、近道であることを解している。

だから、ドイツの外交は、イギリスをおびやかして、イヤでもオヽでもイギリスを中心としてこの独仏同盟を英国の手でやらせようとしている。即ちドイツがイギリスを敵国として露骨に対策をしているのが、何よりも確かな証拠だ。今日ドイツがイギリスと争って何の利益があるものか。その目的は大同盟にあり、日本と共にロシヤ征伐をやって、大独逸国を建てて、世界の一等国として平和の舞台に仲間入りをしようとするのである。

一、いい加減なホラを吹くものではない。現在の欧羅巴（ヨーロッパ）はイタリーとエチオピヤの戦争だけで困りぬいている。イギリスやフランスもイタリーのサンクション問題ですら解決出来ない状態である。もし国際連盟によってイタリーにサンクション適用を強制するとせば、イタリーはドイツと手を握るにきまっている。

ドイツとイタリーと握手されては、ドイツの立場が一転するので、英仏共に困っているのを見ても、これら諸国の外交に一定不動の大方針なぞあってたまるものか。

一、イタリーはエチオピヤに手をやいて、進むことも出来ず退くことも出来ず、飛行機と爆弾と、今日までに二千何百万ポンドのお金を煙にしても、少しも手ごたえがない。元来、エチオピヤが簡単に片付くべきものならば、遠の昔にイギリスはツアナの湖水から文句をつけて強奪する機会は何度もあったのである。

が、それを実行し得ないだけ、エチオピヤにはどこかに強味がある。それを何にも知らなかったイタリーは軽率至極で、今日の苦境に立つのは自業自得であるが、この問題が片付かざる間、欧州の外交は停滞不動である。下手に動くと、動く方が損をする。だから、今や世界の外交は、日本を孤立に陥れて、日本の悪宣伝を一犬虚（いっけんきょ）に吠えて万犬実を何とかいうような遠吠式にやるのと、イタリーが困って立ち往生するのを遠巻きに待っているのと、ドイツがお金に困ってユダヤ人に頭を下げさす工夫を、各方面からジリジリと攻め寄せている。

それ等の問題に、各国が積極的に乗り出すことの出来ないスキを狙って、イギリスはロシヤをおだててウマイ商売を独占しようと企てているだけで、この種の問題に目鼻がつくと、そこに初めて活きた外交がある。

およそ外交というものは、問題の起こらない時に、換言すれば、必要でない時に必要なものでなければ駄目だ。この点について日本の外交はゼロだ。一例を挙げると倫敦に軍縮会議が開かれる。軍縮会議の前途は、日本の態度が確然ときまっている以上、決裂するのが当然であることを意識していたろう。この大切の時に倫敦に駐英大使もおらず、商務長官すらもおらない。如何に会議の度が見えすいているからとはいえ、あまりに問題を手軽に取り扱っているのは、ヨクナイ態度である。

かかる時こそ、大使や商務官は、各方面に日本の主張を醇々と説明する。会議に列席した当事者が、口頭泡を飛ばして議論するよりも、よく朝野の人心を和げ得るように、よしそれが、実際は無駄であるとしても、人事を尽して天命を待つ態度があってほしいのである。

然るにだ。この時、どういう事情があったかしらないが、大使は日本で遊んでいるというに至っては、イヤ、そんな先の見えているのに、悪い役回りは御免だというのであるかもしれないが、これでは日本の外交も心細いといわざるを得ないのである。

□

こういう話を誰からともなく聞かされるのであるが、実は外交論になると、私にも何も判らない。ただ、以上の如きまちまちの話を聴くにつけても、私のような実際家の立場においては、十の議論よりも、一つの事実、それはお互いの議論を超越して、そこに何等か具体的に握手が出来るあるものが一つでもあれば、国際間の話題に笑い顔も出来、朗らかになると思うから、東亜と欧州を一番近く、早く、結びつける国際列車株式会社というものを設立してみてはどうだろうというような、空想を描くも無駄でないと思うのである。

現在では日本からドイツ、フランスに来るには、シベリヤ鉄道を経由するのが、一番近くて早いのは既定の事実であるが、そこにはいろいろのこだわりが多くて困る。就中、ロシヤの国内を通過する時は何となく不安であり、不自由がちであり、不愉快が多いのみならず、鉄道線路のゲージが異(ちが)っているから直通連絡は到底不可能であること、それから国境を通過する度毎に荷物の検査が如何にも七面倒で、その都度いやな思いをして、無駄なお金がかかる。長い外国への旅行であるから、荷物は大荷物、小荷物、手荷物と、それぞれ手数のかからぬように区別しておいても、いざ国境の検査となると、それが真夜中であろうが、雨天の時であろうが、少しも容赦がない。言葉の不自由な上に、赤帽に対する不安と焦慮とでイライラさせられる国境の検査。何というイヤな思いであろう。

世界が統一せられざる限り、国境はあるに決まっている。国境が存在する以上は依然として現在のような事情のもとに、お互いに国民同志が、なぜ沈黙しているのであろう。私はそれが不思議でたまらない。

欧州人はフランス、ベルギー、オランダ、ドイツ等、五六時間の旅行にすらも、いくつかの国境を通過するのである。従って欧州人は永年の習慣から、そういうことには平気で慣れているかもしれない。私はこの度の旅行でアメリカからイギリスへ渡る時、税関の検査があっても、別段に注意をひかなかったが、イギリスから大陸へ渡る時、オステンドの港に上陸して、夜行寝台でドイツへ行く途中、真夜中に起こされて、所持金を残らず取り調べられた上に、所有金の調書を提出させられた。それから、この度はドイツからモスクワに行く時は、ドイツ、ポーランド、ロシヤと三ヶ国の検査でウンザリした。ポーランドでは国境に長く停車した。夜中の二時頃であったが窓外の月は十二三夜とおぼしく、皓々（こうこう）として昼の如く輝いている。あたりは森閑としていとも静かである。その中を検査官の行き通う靴音のみが耳について眠られなかったので、窓を明けて暫らく外気にふれながら、何んにもわからない、遥に遠い星空を眺めて、久しぶりに、寝衣姿（ねまきすがた）の黒き影を見た。

　大空の如くすむ世のあらまほし、月の光りに国境のなく

ロシヤから再びベルリンに帰り、ベルリンからスイス、オーストリー、ハンガリー、

チェッコスロバキヤ等に旅行した時も、国境の検査くらいいやなものはないと思った。しかのみならず、ロシヤ、ドイツ、イタリー等為替管理の必要から、その国の金を持って出ることも許されず、持って行くことも許されないので、食堂車の仕払いや、ボーイ、赤帽の手当てまでもドルやフランの支払いを余儀なくされることがある。いよいよもって不愉快である。お互いにいやなこの国境を取り去る方法としても、私は国際列車会社設立の夢を描いてみたいと思うのである。

□

欧亜国際列車会社は、まず第一期として、左の計画を遂行してみたい。

一、釜山（プサン）、巴里間を八日間に運転すること。

巴里―伯林（ベルリン）間……………一、〇四七 KM

伯林―モスクワ間……………一、八七六

モスクワ―満州里間……六、八〇七
満州里―哈爾賓間……八五〇
哈爾賓―新京間……二三五
新京―奉天間……三〇四
奉天―安東間……二七六
安東―釜山間……九六〇
合計……一二、三五五

即ち七千六百五十三マイルあるから、一マイル一時間平均速度四十五マイル運転とすれば、丁度七日間を要するが、速度を五十マイルとすれば六日と十時間かかる。途中停車場を乗客専用停車十ヶ所、一ヶ所平均二十分二十時間、薪炭給水特別駅停車十ヶ所二十時間とすれば、概算八日間にて運転することが出来る。

一、直通運転の必要から、軌道幅の異なる部分は更に一線増設三線設備にすること。

一、列車の車両数は、一等車二十人乗り三両（特別室を設けるも可なり）、普通車三十人乗二両、食堂、理髪、沐浴等二両、郵便、手小荷物、従業員及び事務室等三両、合計十両連結を単位とすること。

一、釜山、巴里双方より毎日発車のこと。その内に上海（シャンハイ）―奉天間を運転すること。

一、沿線並びに関係各国は平等に投資すること、資本金及び損益計算は米国ドルをもって計算すること。

一、国際列車会社内に検査局を設け、検査員若干名は、列車内にて適宜各国国法による、すべての手続きを遂行すること。

一、各国国法に違反したる乗客に対しては、重き罰金のみならず体刑（拘留または禁固）を原則とすべきこと。

一、事業の経営は、各国より推挙指名せる代表者を、会社の取締役または監査役となし、更にその中より代表取締役を選任し、その任に当たらしむること。

一、投資金並びに株式総数及び所有株に対する行使権等、定款によって定むべき各種の権限は、各国平等を原則とすること。

□

大体以上の数項を骨子とし、これに対する資本金はどのくらいいるだろうか。これこそ旅中の空想で、ちょっと正確には計算が出来ないが、試みに予算を作ってみた。

一、資本金……………………………五〇、〇〇〇、〇〇〇ドル

内訳

線路三線設備………………………………三八、八八〇、〇〇〇

（備考）軌条増設及び側線改良費

二十列車新調費……………………………九、四六〇、〇〇〇

（備考）機関車一台、客貨食堂車十両を一列車とす。この予算四七、三〇〇ドル

通信並びに諸設備…………………………一、〇〇〇、〇〇〇

予備費………………………………………六六〇、〇〇〇

一、損益予算費

⊙収入の部

一ケ年総収入……………………………一五、六二四、〇〇〇ドル

（備考）イ、八日間運転。巴里釜山毎日双方より一列車発。

ロ、一列車一等六十人（賃金三百ドル）普通六十人（賃金二百ドル）合計三万ドル。外に雑収入千ドル。即ち一列車収入三万千ドル。

ハ、七掛の実収として一日平均二万千七百ドル。二列車分四万三千四百ドル、一ヶ月百三十万二千ドルとす。

⊙支出の部

線路使用料保存費その他一切…………一〇、九三六、八〇〇ドル

（備考）収入の七掛けをもって経費としたり。

予　備　費…………………………一、〇〇〇、〇〇〇

合　　　計…………………………一一、九三六、八〇〇

差 引 利 益…………………………三、六八七、二〇〇

（備考）五分配当二百五十万ドルを控除しても尚百十八万余ドルの余裕あり。

これは概算であって、明細のことは判らぬけれど、おおよそこれを標準に研究すれば不可能でないと信じている。ただ問題は、毎日巴里、釜山相互発乗客定員百二十人の七掛け、即ち八十四人あるかないかということであるが、この国際列車が欧亜の大道路として異彩を放つに至らば、満州国の発展と共に、こうあってほしいものと思うのである。

□

いよいよ実行すべき価値があるとしても、あるいはまた実行不可能だとしても、無益の業ではないから、試みに確実な予算を計上してみようという気になれば、こういう数字は専門家を煩わせば直ちに解決出来るから、少しも心配はいらない。ただ問題は何人が主としてこの国際的事業の経営に当たるべきかである。

何人というよりも、何国が中心として重きをなす地位に立つべきかという問題になるとなかなかむずかしい。しかし、考えようによっては、一番長い線路の距離を主管しているロシヤと満州国とが、淡泊に話し合えば出来ると思う。ロシヤというよりもむしろ満州国、即ち日本側が、虚心坦懐にこの事業は何人が一番利益を受けるかを自問自答すれば、直に解決出来るようにも思われるのである。

実のところ、ロシヤはただ、自国の線路の大部分を世界の公道として使用せしむるだけであるから、ロシヤの本部と極東と、更に日本との関係からいえば、この国際列車を利用する程度は至って少ない。むしろドチラでもよいくらいで本腰にならぬかもしれない。が、欧州全体からみれば、支那の上海と日本の東京の距離を十日前後に短縮するのであるから、その利益はなかなか多大なものである。同時に日本と支那とは、この国際列車によって欧州への大道路が出来るのである。

その実現によって一番に利益を受けるものは、差し当たり日本である以上、日本はその事業の管理に実権を取るというような野心を放棄すべきで、何人が管理し経営してもよいと思う。これが出来上がりさえすれば、それでよいのである。

旅客の交通が主なる目的である以上、愉快に旅行が出来るような設備と取り扱いをしてくれるならば、その全権をロシヤに一任してお願いするのも、日本としては少しも心配もいらなければ不利益でもないと思う。

仮にロシヤが中心となって、関係のある欧州各国と共に、この事業に当たるとしても日本は釜山から、あるいは満州国は大連(ダイレン)から、この国際列車会社の列車が運転されたとする。線路の使用料をとるのであるから、丁度現在欧州各国がベルリン―パリー間、パリー―ナポリ間、パリー―リスボン間等、お互いに直通運転をしているのと同一で、多少の犠牲を払っても、私は日本がこの種の会社の出現を、助成する方が利益だと信じている。

同時に、上海から満州国を通過してこの国際列車を運転するならば、東亜と欧州との関係は、世界的大公道の出現によって、あるいは局面が一変するかもしれないと思う。私は今、パリの旅窓にあって、日本が孤立の運命に追い込まれつつあるようなイヤな心持ちに不愉快である時、たとえ、紙上の空論であるとしても何人にも不利益を与えぬのであるから――もし与えるものありとせば、欧州航路の船会社は、そのお客様の大部分を失うかもしれないが、また船には船の長所があって、何とか局面の回転を計り得るものであるから——出来ない相談かもしれぬが、こういう夢物語を空想するだけでも、心中いささか楽しいのである。

私は鉄道大臣閣下にお願いしたい。日本の鉄道省が真剣になってこの種の計画を立案し、欧亜の関係国における鉄道当局者の委員会というか、単に空想座談会でもよい、なるべく青年の寄り合いを催して、キャバレーの帰りにお互いに気焔を吐く程度の会合でもよいから、話し合ったらどうか。私は関係各国が、近き将来において、必ず興味を持って研究する時代が来るものと信じているから、ここに愚案を起草したのである。

□

ロシヤにはあまり利益のないこの種の計画が、世界の話題に上ると仮定せば、日露親善だとか、不戦条約だとか、堅苦しくいわなくとも、またどういう風向きで平和論者の心を動かすかもしれない。

当地のある外交通の話によれば、日本は今にもロシヤと衝突しかねない宣伝をしているけれど、あれは北支へ進出するまでの予備工作で、いよいよ北支へ手を出す時が来ると思う時には、必ずいつしかしら日露条約が出来ているから見たまえというのである。

私には戦争のことと、外交のことは全然門外漢で少しもわからないが、交通事業は専門家のつもりであるから、その一員として空想の実現を希望している次第で、ここに長たらしく書いてみたのである。（二月二十三日）

専制政治の国

コーカサス方面の有力者で、いつもその地方のために犠牲的に働いている老紳士が同村の二三の有志者と連れ立って、革命以来初めてモスクワ見物に上って、共産政府の新設備を見物し、赤色広場の真ん中にある、真四角の屋根と、階段式に積み立てられた大理石と、斑岩石とによって建てられた、その建物の中に案内された。それはクレムリン宮殿の城壁の外にあるレーニン廟である。

老紳士は参観者の行列の中に交って、銃剣いかめしき護衛の兵士に守られて、レーニンの木伊乃が、硝子張りの棺の内に、生けるが如く仰向けに安置されている立派な寝棺を、順次に一周しつつ参拝するのであるが、レーニンのその面影が、今なお活眼を開いて、永久にロシヤの国民に対して何をかいいたげに凝視しているという説明を聞いて、廟外に出てから、顧みて同行者にささやいたのである。『レーニン様もお可哀想だ。私達の村人と同じように埋葬するお金がないと見えて、未だに寝棺のまま放って置くのは、実に勿体ないと思う。その中に、おらが村方でもお金を集めて寄付でもせなくてはなるまい』といわれたそうだが、ロシヤの国民は朴訥であり、まことに可愛ゆい国民である、という外国雑誌の記事を、スターリン氏は一読して、微笑しつつ、呟くのであった。『かるが故に我がソビエット・ロシヤは専制政治でなければいけないのである。同時に、専制政治が行われ得るのである』という話を聴いたのであるが、私はその真偽を保証しようというのではない。よし、それが外国新聞記者の作り話であるとしても、如何にもありそうな、この国の人情を穿った一笑話であると思うのである。

◎

ロシヤは世界の最大国であり、一億六千何百万人の国民の集合せる連邦であるけれど、その国民大多数は悲しいかな無学文盲である。試みに十歳以上の文盲者を我が国並びに世界の文明国に比較してみると、左の通りである。

独　逸……………・〇三
濠　州……………一・七〇
加奈陀……………五・一〇

伊太利……………二六・八〇
波　蘭……………三二・七〇
西班牙……………四三・〇〇

国名	
仏国	五・九〇
米国	六・〇〇
白耳義	七・五〇
日本	八・五〇
洪牙利	一三・〇〇

国名	
ロシヤ	四八・七〇
メキシコ	六四・九〇
埃及	八五・七〇
印度	九〇・六〇

即ち、ロシヤはメキシコ、埃及（エジプト）、及び英領印度（インド）の如き未開地の国民より、僅かに上位におるにすぎないのである。支那（しな）はこれ等の調査すらも不可能なる国家的状勢におるのである。

日本の如きその国民の全部が皆教育せられおるにかかわらず、この統計において比較的無学文盲の亜流多き理由は、国民皆教育の大方針が実施せられたのは明治六年であるから、六十歳以上の男女には今なお文盲者多き結果であって、今後十五年を経過せば、無学文盲の人は皆無となること疑う余地はないのである。（日本国勢図会昭和

八年版による）

◎

識らしむべからず、よらしむべし、という昔から専制君主常套の方針は、革命後のロシヤ政府もまたこれに追従しているのであるが、一面には共産主義の読本教育を努めて広く奨励するにかかわらず、それは専ら都会市民の一部と、小学児童とに限られ国民全部としては外国の書籍は勿論、新聞雑誌の輸入すらも厳禁し、文字を理解し得る少数の国民に対しては、共産政府専用の書冊、並びに新聞雑誌に局限せられているから、革命後に共産主義教育を受けたる児童ありといえども、広くソビエット・ロシヤ全体として見る時は、その国民は依然として無学文盲というべしである。

　しかしながら、無学文盲であるとしても、その国民性が言論の自由とか、正義の高調とか、いやしくも人間として独立的思想に涵養（かんよう）せられているというが如き、多少の経験を有するならば、そこに頼もしき意志の潜在する希望もあり得るのであるが、由来ロシヤの国民は蛮力によって征伐せられ、それに服従する事のみをしばしば繰り返させられたる国民であって、この国の歴史は慈愛ある聖君の統御によって安定せられたる事跡なく、強勢によって征伐され、その威力によって威圧し来りたる幾多豪族、並びに王公の興亡史たるに過ぎないのであるから、その国民は無条件服従に訓練されているのである。ロマノフ王朝以前、遠くルーリックの建国以来、一度び蒙古(もうこ)人に侵入せられ、長く成吉思汗(ジンギスカン)暴政の下に苦しみ、その後、イヴァン三世の興るや、モスクワ大公として威を四隣に振るい、土耳古(トルコ)王朝コンスタンチンの庇護によって、初めてロシヤ統一の基を作ったのであるが、モスクワ大公国も十七世紀の初めにおいて、ミカエル・ロマノフのために亡ぼされて、近世文明史に仲間入りをして、帝国を創(た)て、初めて帝位に登った人は、革命前までの皇帝ニコラス二世の先祖であったのである。かくの如き事情の許に生活して来ている国民であるから、指導者なしには存在し得ないのである。ここには自治制だとか、憲法政治だとか、そういう文明人の政治よりも、昔風の英雄政治が文盲国民に最も適切であるから、それがニコラス皇帝であろうとも、レーニンであろうとも、はたまたスターリンであろうとも、いわゆる時の天下様で、長いものには巻かれろという安閑たり得る国民で、到底、私達日本人の考えをもって忖度し得ないのである。しかもその国民は、我が国の如く同一大和民族であるというのではなく、スラブ族を中心にした印度・ヨーロッパ人に属する人民が大多数で、そのほかヤフェチード族、セム族、フィン族、トルコ族、サモード族、蒙古族等、その人種を細別すると百五十余種の多き混合国であるから、民族自決主義、または民主主義の政治というが如き、現代文化の趨勢とはおよそ縁遠き国民であることを知悉する必要があると信ずるのである。

◎

然るに、ロシヤとは全然その国情を異にする日本に対して、日本でも専制政治熱が台頭しかけたというような記事を外国新聞で時々聞かされたのであるが、二月二十六日の反乱事件が突発した時にも、荒木陸軍大将がデクテイターとして、内閣を組織するであろうというような記事が、外国新聞に現われたのである。私は断じて日本には専制政治は行われるものではないと信じている。日本国民は、その全部が教育のある人民であり、常識の発達している点においてすでに立派なる文明国人である以上は、如何に政党政治に愛想をつかしているとはいえ、それは一時の反動であって決して言論の自由なき政治や、自治制を破壊するが如き、専制政治が成り立ち得べき国柄でないと信じている。この点において尾崎咢堂先生は、早くすでにその著「処世論」中において左の如く論じ尽している。

『ムッソリニーやヒトラーが執った所の暴力手段は、我が国体の下においては、何人といえども執ることは出来まい。然らば他に如何なる方法があるかと考えるに、恐らくは暴力的手段に依って帝都の治安を攪乱し、戒厳令下において、自分等と意見を異にする所の大官諸公をば、「君側の奸」と呼び、在野の有力者をば「非国民」と罵りもって共に悉く虐殺、もしくは幽閉し、自分等の同論者以外の者は一切陛下に接近することを禁遏し、もって聖断を待つよりほかはなかろう。

これいやしくも我が国体を知り、かつ、いやしくも忠義心ある者のなし得べき所であろうか。このやり方は、その実質においては武力をもって陛下を孤立せしむるものであって、北条、足利、徳川等が執った所の行為と大差がないようだ。しかのみならず憲法を制定して、挙国人民の権利自由を保証し給うたのは明治天皇陛下の最大偉業である。故に後の天皇陛下は如何なる場合においても、広く国民の意向を徴せずして不磨の大典を中絶し、もって明治天皇の御偉業を破壊し給うが如き事は、断じてこれをなし給わざるべしと恐察し奉る。故に戒厳令の下において、悉皆（しっかい）の大官諸公を排斥して聖断を仰ぐとも、恐らく専制論者の希望を遂ぐる能わざるべしと思わる。』

◎

天皇御親政という意味から考えても、すでに内閣で決議した事でも、重大なる問題は枢密院に御諮問して、御裁可遊ばされるくらいに御丁重に思し召さるる制度であるから、何事も陛下の大御心にわたらせ給うものとしても、我が国には文武の元老あり、重臣あり、補弼（ほひつ）の臣下綺羅星の如しと聞く。恐れ多くも陛下の大御心による御前会議なるものがあって補弼の責任を尽くし、もって希望に添う政治が行われるものと信じている。恐らく何人も、独逸（ドイツ）、伊太利（イタリー）の、あの惨酷なる独裁政治を謳歌する国民が彼等の国内に存在し得るものと信ずるものがあるだろうか。ただ独裁政治を執行しつつある、その少数の一党を除いて――。

独逸でも伊太利でも、言論の自由も、生命の保障もないのである。その新聞雑誌は政府の命令による宣伝機関紙よりほかに存在を許さぬのである。しかしてその独裁政治に対する反対者は、生命の安全が保障せられないのであるから、何人も沈黙を余儀なくされているのである。

しかしながら、これらの国民はロシヤの国民と異なり、文明の教育を受け、思想の自由や言論の自由をいつまでもいつまでも圧制し得るものとは思われない。従って独逸、伊太利の独裁政治の前途は未知数である。ただかかる不自然の政治が独逸、伊太利の文明国に行われるに至ったその国の情勢が、誠に止むを得ざるに立ち至れる今日までの経過を顧みると、我が日本国民もまた、大いに戒心の心要あり、私達は一日早く資本主義の欠点を刈除(かいじょ)し、利益の分配を公平にし、貧富の差別を限定し、生活の安定を保証し上下一致して国家隆盛の基礎を堅固にし、世界の競争場裏にあって負けないように勉強しなければいけないものと信じている。

たまたま外国を漫遊して、独逸、伊太利独裁専制下の不幸なる国民を眼前に見、ソビエット・ロシヤにおける共産主義のプロレタリヤ独裁政治なるものが、その一党二百万人未満の少数をもって、兵力を背景として、威圧的にその無知文盲の国民の上に優越的生活をなしつつある不公平を見て、断じて専制政治のあり得ない日本に生れ得たる幸福を感謝するものである。

◎

ロシヤの新聞に、こういう記事が載っておったと、ベルリンにある日本人の有力者の一人から面白い話をきいた。

『ロシヤの悪口をいい、共産主義を撲滅せんとして共産党員を弾圧し、不倶戴天の仇として、赤露を追窮して止まざる国が、今なお世界にいくつかある。しかもその最大なるものが、不思議に我がロシヤの真似ばかりしている。

それは第一がムッソリニーであり、第二がヒットラーであり、第三もヒットラーである』と。

第三もヒットラーであるということは、独逸の政治はことごとにロシヤの後を追っているというのである。それに対して、独逸の新聞は冷やかに一矢を酬いている。

『独逸は未だかつてロシヤから何ものをも教わったことはない。文明国人が野蛮人から学ぶべきものがあるべき理由はないのである。ロシヤこそ、昔から我が西欧の文明を移植して、成育しつつあった如くに、今もなお我が独逸を学んでいる。それは正しいことで咎むべき事柄ではない。即ち共産主義というが如き、紙上の空論の政治は行われるものではない。国家統制による資本主義の新機構を、我がナチス政治が断行すると、ロシヤは健気にも、直ちに同一色彩に塗り替えている』云々というのである。

誰れか鴉(からす)の雌雄を知らんやであるが、いずれにしてもその独裁政治なるものの型は同一である。思想言論の自由なきこと、生命財産の保障なきことである。ただ、独裁政治による新資本主義のあるものが、共同生活の上に、人類の幸福を増進するに至れる事実を証明せられる時は、それは如何なる些細の事柄であっても、世界は必ずこれを採用するであろう。如何なる資本主義の国にあっても、国民生活の向上と、その幸福とをもたらすべき名案を拒絶するが如き愚者はないからである。

もし万一にも独裁政治の結果において、何等か学ぶべきものが生れ得るものとせば、自ら狼狽してその犠牲者たらんよりは、その収獲を完(まっと)うすべき賢明さを心得るべきこと、あだかも、血を流して議会政治を樹立したる欧州各国から、何等の不祥事を見ずして我が国に移植し、文明政治の花を咲かせたる如くに、私達は如何なる場合においても人後に落ちざる注意を必要とするだけで、陰鬱にして野蛮なる独裁政治はただソビエット・ロシヤの無知文盲国においてのみ通用するものと思うのである。

　我が日本国では言論の自由と生命財産とは、憲法によって保障されている所である。しかもそれはいろいろの事情によって縮小されていることが、目下故国の不安を巻き起こしているという話である。独裁政治はこの言論の自由を許さぬのである。けだし言論の自由のない国民は、結局牛馬の如く、黙々として追い回されるだけの国民である事は、ソビエットの国、ナチスの国、ファッショの国等を見れば判ると思う。

海外に於ける日露戦争説

私は欧米各国に駐在する大使館、公使館、領事館の大官や、若い新知識の諸君からいろいろ御高配を受けたことを感謝する。しかし外交官の諸君から、いやしくもいわゆる外交談なるものは傾聴する光栄は得なかったのである。

外交官の立場から、国際親善の必要というが如き平凡常套、表玄関からの御挨拶ならばあるいは聴き得るかもしれないが、国民一般の知らんとする日露、日独の関係というような問題になると、聞くだけが野暮で、責任ある当局者としては、顧みて他をいうよりほかに途のないことも知っている。その代わり、在外同胞諸君は、その全部が外交官であり、外交官以上であり、よくその代弁をしてくれる。皆が相当に意見を持っている。そして堂々と外交論を是非するのであるが、これは異境に生活している実際問題から、お互いにその立場を意識して、一寸の虫には一寸の魂があり、五分の虫には五分の魂があるので、これらの諸説を総合すると、自から与論なるものを知ることが出来る。

□

私は通りがかりの飛脚のような旅行者で、自分には何ら知識のないことをよく知っているから、努めて在外同胞の、しかも永年在住している古参の人達にお眼にかかって、御高説を伺うのを原則として来たのであるから、私の外交論は、実にその全部が受け売りである。ただ、不思議なことは、日独協定とか、日独同盟だとかいう問題になると、外交官の諸君は判を捺したように一様に否定する。さては本省からこの問題が出たらば、取り消すべしという命令でもあるのではないかと邪推せざるを得ない。この件だけが除外例で、その他の全部は内外人からの入れ智恵であることは勿論である。

□

今や世界における外交問題は、日露戦争と日独協定を中心として暗中模索である。日独協定だとか、日独同盟だとかいう問題は、国民の死活問題としては、およそ縁遠い、第二義に属しているように思うのであるが、日露戦争となると、国家の運命をこの一挙に賭する重大問題であるだけに、何人も意見があると見えて各方面でいろいろのお話を聞いた。他山の石、もって玉を磨くべし、という意味からいえば、ある英国紳士の批評は一番面白いと思った。

『昨日のクリスマスの前夜であったが、ある有名なベルギーの一紳士に遇った。この紳士は、ドイツ政府の高官とはいろいろの関係があり、また金融関係からも相当に深入りしているので、ドイツの内情にはなかなかくわしい。この人の話に、ナチスの政府も、もう山が見えたように思う。来年春過ぎまでには、なにか一大事件が起こり得る形勢にあると信じている』

と声を低くして話してくれた。するとその横合いから他の一紳士は、こういった。

『そのドイツのナチス政府と日本とは、今や同盟締結を話し合っている。如何にも眼先の見えない交渉であると思う。日本の真意は、果たしてどこにあるのかわからない。』

□

私には、ドイツのナチス政府が倒れるか、あるいは依然として強陣のまま猛進するかそういうことは少しもわからない。ただナチスの天下は力づくで維持し得られる間は、如何なる手段を取っても一歩も退かない。また退くこと能わざる立場にあり、即ち背水の陣を布いているのであるから、英国紳士が信じているように、そう簡単にゆくものではないと信じている。英国の紳士はロカルノ条約破毀、ライン出兵こそ、ナチス政府が国内の危機を外部関係に移した証拠であると信ずると同時に、まさしくナチス政府は日独協定の力によって、東西事を構える機会をキャッチしているものと信じているようだ。甚だしきに至っては二月二十六日事件を組み入れて、日本における軍国主義展開の前提として、東西轡(くつわ)をならべて猛進するものと、日本を誣(し)うるものすらもあるというのである。果たして然らば、日本は何故にドイツと協定をしなければならぬか。その必要はどこにあるか。それはドイツとともにロシヤ征伐を断行せんとする意思があるからだというのである。ここにおいて日露戦争説がまことしやかに問題になるのである。

□

およそ日露戦争ぐらい日本を誤解させているものはなかろう。今や日本は無理から に戦争を仕掛けるように宣伝されている。ロシヤは日本に対して、早くすでに不戦条約締結をしようという申し込みすらもなしているのに、日本はそれを相手にしなくて、何か文句をつけて、結局は、力づくでバイカル以東シベリヤを強奪しようとしているのである。この野心があるから、ロシヤはやむを得ず極東に戦備を充実し、いつにてもお相手しようと高飛車に構えているわけで、この喧嘩は日本から買ったのでロシヤに罪はないというのである。さらに、ロシヤを弁護する人は、ロシヤは五年計画、十年計画というように、今や内部の充実と、その整理等に忙殺されている。そして財政困難に伴う軍備縮小の必要は、日本との不戦条約によって極東問題を解決したい。またそれよりほかに途がないのであるから、出来るだけ日本に譲って、混沌たる国内の整理を一日も早く実行して、東欧、裏海（りかい）、黒海並びにポーランド方面の問題を解決しようというのが、この国の大方針であるのに、日本は頑強にこれを拒絶して、一意開戦の準備に汲々（きゅうきゅう）たるのであるから、やむを得ず、これに対策を講ずるのであるというのである。

□

あるいは、日本の国内にも、すでに満州国が出来たから、さらにシベリヤをその勢力範囲内に包含せしむる雄図を理想とする二、三の志士があるかもしれない。私はその人々の意見の大要を知らないから、これを是非することは出来ないが、私の知り得る範囲においては、日本の方針は断じて戦争を考えておらない。むしろ平和に解決すべく尽力しているものと信じている。即ち日本の方針は――

ロシヤは今直ちに不戦条約を締結しようというのであるが、日本と露国との間は、開戦しなければならぬような重大なる利害が衝突したというのでもなければ、従って不戦条約を必要とするほど差し迫っておらないのである。ただ問題はロシヤと満州国との間に国境紛争が多くて困る。こういう紛争がしばしば起こると、ややもすれば、お互いに、誤解を生じ感情を疎隔し、それが、やがて重大事件になって来ては困る。ゆえに今日の急務は、国境紛擾の起こる、その根本原因たる国境線の不確定を調整確定したいのが第一で、それがきまれば、お互いに侵犯しないことになるのは当然である。それから更に進んで、ロシヤの極東準備軍の縮減を折衝してもよいと明言しているのであるが、どういう訳かロシヤは、現在起こっている国境紛争のみを調裁することは異議はないが、国境を確定することには同意しないので、むしろ日本の方が困っているのである。

私の聞くところでは、日本の主張は以上の通りであるが、何ゆえにロシヤは紛擾の原因である、国境確定案に同意しないのであるか。ロシヤが日本の申し出に同意して国境確定案を討議したと仮定する。そこに多少の異論が起るとしても、あの茫々たる未開の山林原野が、何千キロ東西南北に相違があったとしても、必ずまとまるものと信じている。すでに国境が確定せられたならば、それは不可侵条約が出来たと同一効果であって、これまたロシヤの希望する不戦条約の前提であり、同時に軍備縮小の目的を達し得るのであるにかかわらず、ロシヤがこれを避ける原因はどこにあるだろうか。これでもなお日本はロシヤと開戦したいために、彼是と文句をいうているのだといい得るだろうか、と私は説明して来たのである。

今や、世界はあらゆる方面で行き詰まっている。その局面を展開し、常軌に乗せ得るように、各国ともにその国情に従っていろいろに工作している。しかしながら、いずれもその希望なり、目的なりの半分も、四分の一をも成し遂げ得ないで、悪いことは知りながら、その局面の開展策として、世界のどこぞに戦争でもあってくれると有難いがと、内々に祈っている人があるかもしれない。即ち人の褌で相撲を取りたい人情から「日本とロシヤと戦争をすれば有難いが」と、空頼みをしている国があるのである。また一方では「ロシヤとドイツと戦争をしてくれると都合がよいが」と祈っている国があるかもしれない。日本から見れば、ドイツのライン河出兵から世界戦争ほど大規模でなくてもよいが、独仏開戦だとか、ベルギー、オランダ、スイス等小国の所属に変化があるとか、とに角、欧州の方面に戦争があると、今度こそ、この前の世界戦争のような不手際はやらないぞ、そういつまでも英国のダシにばかりなってはおられない、なぞというような考えが、ムラムラと起こりやすいので、即ち、我が身に引き較(くら)べて各方面を見回すと、日露戦争を彼是と局外者から焚きつけるように作戦しておらないと何人か断言し得べきか。日本はどこぞの作戦に乗ってロシヤと開戦しなければならないほど急迫の状態におらないことは、ロシヤもよく知悉しているにかかわらず、何ゆえに、日本との協定、即ち紛擾の原因たる国境確定案の解決に同意しないのであるか。同意しないのみならず日本の対露方針を曲解しかえって軍備拡張を断行し、そうして世界に向かって揚言しているのである。

スターリン氏は、革命以来新聞記者に会うことは僅かに三度目である。その三度目に、米国ハワード系新聞社長ロイ・ハワード氏にこの三月二日モスクワで会った時我に干戈の用意あり、日本恐るるに足らず、いつでも用意があるぞと大見得を切った。その通信は恐らく日本の新聞紙にも電報されたことであろうと思う。極東におけるロシヤの軍備拡張は、今にも戦争が起こるからと周章狼狽して着手しているようにも思われる。ウラジオには、潜航艇が五十艘以上出来た、飛行機が何百台、戦車が何千台、装甲自動車何千台、その陸軍は十何師団、三十万人の赤軍が充実して、日本との衝突を演習していると宣伝されている。ソビエット・ロシヤは、その軍備に限らず、あらゆるものが秘密主義であること、その真相は不明であるとしても、恐らく事実はそれに近いのであろう。然らば、ロシヤは腹の底から日本と開戦を用意しているものと信じてよいであろうか。

私は欧州各地の現勢を達観して、世界戦争は到底免れることの出来ない運命であるものと信じている。ただそれは時の問題である。欧州各国の現勢は、世界戦後におけるヴェルサイユ条約なるものによって、無理からに平和を仮装せしめたる虚偽の構成であるから、それに正当に分解作用が行われ、各国が適当に生存し得る状態に対立するに至る時、そこに初めて真の平和があり得るのであって、今日の如き不自然の趨勢が維持せらるる間は、戦争の脅威は断じて去らないものと確信している。

英国外相イーデン氏は、二月二十四日下院において演説した。「ジュネーヴの国際会議において、我が英国は世界資源再分配検討の各国会議を開催する必要あり、その用意がある。それによってのみ、世界は初めて真の平和を期待し得るに至るべし」と。思うに世界混乱の原因は、世界の資源、市場の独占化であり、移民並びに、交通の制限化であり、一方において現状満足国あり、他方には、現状をもってしては到底国家民族の生存し能わざる現状不満足国あり、これを調整するにあらざれば、国際間永久の平和は不可能であるという、世界人道の大局から解決しようというのであるが、この正論が実行せらるることによってのみ、初めて世界平和を保障し得るのであるけれど、それは果たして実行され得るだろうか。実行さるるものとせば、それを期待して私達は軍備全廃とまで行かなくとも、これに信頼してその縮小案を考慮すべきものだろうか。こう考えてくると、いよいよもって日露戦争説をどういう風に取り扱うべきかという、やや実際的の問題に逢着したように思うのである。

私はロンドンで、かつて長い間日本におった英国人某氏に面会した時、日露戦争否定論を聞かされた。彼はこう断言するのである。

『私は日本人の思慮分別の深遠なる幾多の事実を経験しているから、日本人がロシヤと無益の戦争を敢行するものとは思われない。およそ戦争というものは、無理からに仕掛けた方が必ず負けるものである。殊に日本の歴史は、日清戦争にしても、日露戦争にしても、よくもあれまで辛抱しておったといわれるまで、じっと耐えておって、やむを得ず最後に決心をした戦争である。満州事変にしても、世界の多くは、日本が計画的にその目的を遂行したと非難するけれど、私はそうは信じない。支那(しな)は満州において、如何に残酷に日本の顔を踏みつぶしたかを見よ。日本が一歩退けば、支那は二歩も三歩も押してゆく。あまりに日本を見くびって侮って来たその反動から、俄然日本が逆襲的に決心したのであって、もし支那があれほどひどく日本を追窮せず、も少し日本の既得権を尊重しておったならば、満州事変は起こり得なかったものと信じている。

そこで、日本は満州事変を一紀元として国際連盟からは脱退する。即ち国家非常時として、欧米各国に対して、サンクションを受けた場合における万一の陣立てを整備したのであって、断じてロシヤと開戦するのが目的でないことは、世界の現状に処して、日本が戦争の犠牲を払って積極的に何等得ることなきは勿論、まかり間違えば、支那を敵にしなければならぬ国際関係において、そういう無謀の戦いをなすほど、軽率の国民でないことを信ずるのである。ロシヤの立場は、日本よりもなお不利である。日本と戦争をして何の利益があるか。南欧は勿論、未解決のままいろいろの問題が放置されているのみならず、ドイツ、ポーランドに対しても、この場合には断然勝目はないのである。しかもまかり間違えば国内には再び革命的騒動が起こるかもしれない。そういう危険を冒してまで開戦する必要がないから、不戦条約を締結しようとするのであろう。日本もロシヤも、双方ともに心中戦争の不利を痛感しているにかかわらず、何ゆえに今にも正面衝突なさんばかりに宣伝をするのであるか。如何に我が英国人が茫乎としているからといえ、その辺の事情はよく心得ているつもりである。それは何であるか。結局は日本はロシヤの希望通り不戦条約を締結する場合において、有利に解決したいという野心があるからで、同時にロシヤもまた、何等か日本の要求に応ずる代償として、南欧における自由行動、即ち排英、反英共同作戦を断行しても、英国はどうすることも出来ないように封じこんで、英国をして沈黙せしめんとする強圧手段の前提であると想像せざるを得ないのである。日本の最後の目的は、荒漠たる雪のシベリヤにあらずして、北支は勿論、さらに南洋の宝庫をねらっているくらいのことは、日本人のうす気味のわるい、いつも冷笑的の顔付きをしているその態度を見れば、わかるものと自惚れている。況んや日本の立場は軍縮協定からも解放され、ここに、国家として新計画を樹立せなければならぬ時、即ちここ一両年は、黙々として内容の充実を計らなくてはならぬ大切の時において、これは独り軍事方面ばかりではない、経済界においても、あらゆる立て直しを必要として研究されつつある時に、国運を賭しての日露戦争というが如きは、如何に両国が宣伝をするとしても、いやしくも世界の大勢に通暁している文明人は、それを鵜呑みにするほど馬鹿にされてはいないのである。』

というのである。如何にも鼻息が荒いので、どの程度までその説を信用してよいか、私にはわからないが、結局、世界の運命は、現勢力を無理からに維持しようという英仏と、現在のままではその生存権すらも維持が出来ないという日本だとか、ドイツだとか、あるいはイタリーだとか、これらの諸国との対立や合従連衡や、そこに幾多の折衝が行われて、妥協もあり衝突もあり、これらの波瀾がいろいろに開展するとしても、結局再び戦争を惹起すべきものと見るべきか、あるいはまた英国における勇気凛々たる新進の闘士、イーデン外相の言明したる、世界資源の公平なる分配案等によって平和におさまるべきものか、そのどちらになるとしても、そこまで行く間は、お互いに腹の底を見られまいとする強気一点張りの対陣によって、日本もロシヤも「戦争だ戦争だ」と大声叱呼する駆け引きたるに過ぎないものと、批評せる英国人の考えが正しいのであるか。日本の事情に疎い旅行中の私にはわからないのである。私はポンペイの遺跡からベスビヤス火山の見物に一日を暮らしたとき、登山電車の中で道づれになった、米国の紳士の意見を忘れることは出来ないのである。

『米国の人達は、日本が積極的に、今にも露国に、戦争を仕掛けているように聞かされている。軍閥の天下が来ると、必ずそれを実行するものと信じている。しかし私は、日本国民はそういう乱暴なことをやるほど軽率でないと信じているが、米国の新聞には、ロシヤの軍備が不十分である間に開戦する方が、日本に取って利益であるから、そしてまた、張りきっている日本の軍閥は戦争なしにはおられない事情から、必ず、日露戦争のあるものと信じている。実は戦争のあることが米国の利益であるから、勢いそういう風に考えさせられるのであるかもしれない。』

といわれたから、その時は、米国も露国と相応じて日本をいじめるつもりですか、と笑いながら質問した。

『否々、米国は局外中立で、日本からもロシヤからも、ウント品物を買って貰いたいから、そんな馬鹿気た戦争なぞに飛び入りはいたしません、と考えるまでもなく日本でも同じでしょう。露国と開戦すれば必ず勝つでしょう。しかし勝ったところで日本はどれだけの利益がありますか。何十億ドル、あるいは何百億円のお金を浪費してシベリヤを自由にすることが出来たとしても、それは丁度満州国が出来て、日本がドシドシお金をつぎ込んでいるように、またシベリヤのためにお金がいる。丁度米国がフィリッピンを属領にしたため苦しんだと同じようにお金がいる。お金がいって苦しむのも、その前途を達観してやむを得ざるものとあきらめることが出来るならばよろしい。辛抱が出来るかもしれないが、恐らく日本の野心は、そういうソロバンの取れない方面で、たといソロバンが取れるとしても、前途遼遠の北進策に国を賭して開戦するが如きことはやらないと信じている。何となれば万一にも日露開戦となれば、両国が犠牲になるために、世界の他の国家がどれだけ助かるか。行き詰まっている各方面は、これによって必ず開展されるのであるから日露両国の財政はどうなるかわからないと、その反対に欧米各国の商工業は活きかえって、その財政は安定する。この時において、東亜の主人公として活躍せんとする大抱負を持つ日本国が、手も足も出せないような惨憺(さんたん)たる境遇に立って、押しのきかない頑張りをやらなければならない立場に陥ることは、賢明なる日本人思慮分別の深い日本国民が、自ら墓穴を掘るような日露戦争をやるべき理由はないのであるから、私は戦争はないものと信じている。しかるに両国ともに戦備を整えて、戦争だ戦争だと鳴り物を入れて宣伝しているのであるから、何かほかに目的があるに違いない、ほんとうの目的はどこにあるのですか。』

というのである。こういう質問を受けると、私にもその目的がどこにあるか実際わからない。外国で働いている同胞諸君に聞いてみても、何人も首肯すべき意見がないので私は非常に迷っている。日本では真剣に日露戦争について準備しているのであろうか。万一戦争をした時は、その結果はどうなるのだろう。世界の強国は、日露戦争から受ける利益によってますます強国になる。日本はそれに負けないように追いつくにはどうしたらよいだろうか、と考えてくると心配でたまらない。それも私が日本の事情に疎いからであろう。事情がわかればそんなに心配するにおよばないかもしれない。ただ私は欧州各国の現勢から見て、これらの諸国の間には、必ず衝突のあるものと信じている。東洋に離れている日本はこれらの渦中に巻き込まれず巧みにこれを利用して国力の養成を計り、もって他日の変に処すべきものだと信じている。何となれば日本の国力は、欧米各国に比較して数等劣っており、残念ながらその文化の程度においても非常に相違があって負けている。欧米の文明国と対等に進むまでには、よほど勉強しなければ追いつかれないものと信じている。然らば「国力の養成」は何によって行わるべきか。その手段方法についてはいろいろの説があると思うが、明治維新以来今日までに日本が歩んで来た歴史を顧みると、それは外国との交渉によって、即ち世界との交通貿易によって、これまでの実力が出来上がったことは明白である。もし日本が旧幕府時代の如く鎖国であったならば、この小さい島国、物資の少ない国、天与の材料に恵まれておらない国が、どうしてここまで進歩し得られるものでない。即ち外国との通商貿易による結果であって、国民文化の向上したること、東洋一の軍備充実をなし得たることなど一に外国との交渉によって、より以上に効果を収めるのが唯一の得策であると信ずるのである。

日本は世界から孤立して奮闘するよりも、進取的に世界を相手にすることが必要であり、利益だと思うのである。況んや、欧州の大戦は、いつ何時、どこに紛擾が起こるかも限らないように、不自然と無理とが交錯重畳しているから、日本はジット辛抱してだまって、その推移を監視している方が賢明であると信じている。欧米各国は巧みに、日露両国に離間中傷の放送を依然継続的に怠らないのであろう。私には外交の知識がないから、これに処するの途はわからないけれど、すでに自主的外交を方針としている以上は、日本の利益は光栄ある孤立にあらず、面倒臭い国際関係を中心としたる外国との交渉により、一歩一歩進むべきものと信じている。その面倒臭い外国との交渉に負けないようにするには、国力の充実である。国力の充実は、外国との交渉によるよりほかに途なしとせば、私達は外国側の流言蜚語(りゅうげんひご)に迷わされないように、日露戦争説の利害を、静かに考えなければならないと思うのである。

(四月三日帰朝の船中にて)

昭和十一年六月三日印刷
昭和十一年六月八日發行

「私の見たソビエット・ロシヤ」
定價八十錢・送料六錢

著者　小林一三
東京市麴町區永田町二ノ二五

發行者　奈須藤三郎
東京市大森區上池上町九三七

印刷者　石山皆男
東京市麴町區内幸町二ノ三

印刷所　ダイヤモンド社印刷部
東京市麴町區内幸町二ノ三

關東發賣所　經濟雜誌ダイヤモンド社
東京市麴町區内幸町二ノ三
電話銀座四二五五・振替東京二九九六

關西發賣所　阪急百貨店書籍部
大阪梅田

發行所　東寶書店
東京市麴町區有樂町一ノ四

解題

小林一三の演劇への思い

伊井　春樹（大阪大学名誉教授）

アミューズメントセンター構想

東京での宝塚少女歌劇の拠点として、日比谷に東京宝塚劇場が開場したのは、昭和九年一月のことであった。それまでの劇場の大半は浅草にあり、大衆演劇の聖地として賑わっていた。日比谷周辺では明治四〇年の帝国劇場、近くの銀座には歌舞伎座があるにすぎなく、帝国ホテルと日比谷公園が主な施設で、演劇の空間としては縁遠い存在であった。浅草は「低級」に過ぎなく、新しい発想のもとに、家族も楽しめる「明るい、清い、美しい歓楽境」として、「高尚な娯楽地帯」を小林一三は創出する必要があった。

宝塚少女歌劇が誕生したのは大正三年四月、大阪からは遠く離れた、当時は田舎町の宝塚の温泉施設においてであった。箕面有馬電気軌道鉄道（現在の阪急）が開設したのは明治四三年、大阪から神戸へ人口の多い海岸沿いを走る阪神電鉄、中間地帯の国鉄（ＪＲ）と異なり、後発だけに山沿いの山林田畑を通る敷設しか認められなかった。そのような環境の中で、電車を走らせて採算をとるにはどうすればよいのか、人々が放棄してしまった事業計画の責任を負わされた小林一三は、逆転の発想で乗客を増やしていく。沿線は住宅開発をし、大阪への通勤客を増やすこと、終点の箕面と宝塚には動物園や温泉施設を設け、家族連れが電車に乗って訪れるといった計画である。これが日本で初の田園都市構想で、後に渋谷の田園都市線を五島慶太に指導することにもなる。

その中で編み出されたのが宝塚少女歌劇団を結成し、宝塚新温泉の舞台で温泉客に公演を楽しませるというプランであった。通勤客が電車を利用するだけではなく、家族で電車に乗り、温泉に浸かり、少女たちの歌と踊りを余興として無料で楽しむという趣向である。宅地開発にしても、温泉にしても、電車の乗客増を図る手段であった。

小林一三の予想に反したのが、少女歌劇の人気で、温泉客とは無関係に見物客が増大し、大阪市内での公演でも人々が押し寄せる。本格的な演劇場をと、大正一二年に宝塚中劇場、翌年には四千人収容するという大劇場が竣工する。さらに人の乗り降りするターミナルには百貨店を開業し（これも日本初であった）、電車を走らせるための電力、ホテルなどと、事業は多様に広がっていく。宝塚国民座の劇団を発足させ、新しい国民劇の創出をめざす。

大正七年五月には二〇日間、宝塚少女歌劇を帝劇で公演という、東京への進出も果たす。これが大人気となり、以後毎年東京での少女歌劇を公演するようになり、常設館の設置をするにいたったのが、日比谷の東京宝塚劇場(「東宝」と称する)であった。小林一三は昭和九年一月に宝塚劇場のオープンとともに、東宝劇団を結成し、二月には日比谷映画劇場、九月に東宝小劇場、翌年の六月には有楽座を開場する。さらに、昭和八年に竣工した日本劇場（通称「日劇」）を、東宝に吸収合併するなど、演劇界に大きな波紋を呼び、松竹と激しく競合対立するにいたる。小林としては、浅草とは異なる、日比谷、有楽町一帯を、日本の新しいアミューズメントセンターにしたいとの構想があった。

このような状況のもとに、小林一三がロシアを含む欧米へ旅立ったのが、昭和一〇年九月一二日であった。

欧米への視察

出立する当日の午前中は、日劇合併の総会を開き、その後東宝で小林一三の送別の小宴が開かれ、横浜港からサンフランシスコ行の浅間丸に乗船する。ハワイを経てアメリカへ着いたのは九月二五日、各都市を移動しながら、毎日のように劇場を見て観劇するとともに、建物、舞台装置も詳細に観察し、演出の方法についても日記に感想をつけていく。ハリウッドでは「丸型の舞台」の可能性を確認するが、これは後の新宿コマ劇場や梅田コマ劇場へと展開するのであろう。欧米視察は、演劇改良の現実を確認する意義もあった。

小林一三は、もともと小説家を目ざし、明治二三年の一七歳には「練絲痕（れんしこん）」という事件小説を「山梨日日新聞」に連載するなど、文筆に長けた早熟な若者であった。田山花袋（たやまかたい）とも交流し、作家への道を求めて作品を書き、発表もしている。慶應義塾を卒業して三井銀行に入行し、一四年勤めた後、証券会社設立に協力するよう要請を受けて退職するが、日露戦争後の不況で計画は頓挫する。小林一三は職を失ってしまうが、箕面有馬電鉄設立の追加発起人に加えられ、やがて専務取締役として才能を発揮し、多角的な事業の展開となった。小説、俳句、和歌にも親しむなど、企業家であるとともに、本質的には文化への理解が深く、とりわけ演劇には執念ともいうべき改革の情熱に燃えていた。

百貨店、博物館、美術館、水族館、映画、舞台のショー、楽屋、地下鉄、駅構内での売店からレストランにいたるまで、小林は関心の限りを示し、毎日詳細に感想を含めて日記につけていく。その間も、雑誌や新聞記事を書いて日本に送り、会社との連絡もする。

北米横断鉄道に乗り、シカゴ、ニューヨーク、ボストン、ワシントンから、一〇月二九日にはイギリスへ、一一月一四日にポーランドを経て、翌朝モスクワに着く。この日から三〇日にベルリンに行くまでのおよそ半月が、ロシアの滞在であった。その間の体験や国情をまとめたのが、『私の見たソビエット・ロシヤ』である。

著作は、「赤露半月記」「ソビエット・ロシヤ小景」「ソビエット・ロシヤに於ける演劇と映画」「欧亜国際列車株式会社設立案」「専制政治の国」「海外に於ける日露戦争説」の五部からなり、初め二つが見聞記といってもよく、およそページの半分を占める。「演劇と映画」は日記を敷衍(ふえん)した内容となっており、「国際列車」は朝鮮半島からパリまでの列車計画案、残りの二つは国際政治の観点からロシアと日本の立場を記す。

ロシアを離れた後に執筆し始めたようで、日記の一二月四日条に「ソビエットロシヤ半月記(三十六枚かく)」、同八日に「ソビエットロシヤ半月記を書く」、同二一日に「ソビエットロシヤ半月記終了」と記す。旅行はその後も続き、ドイツ、オランダ、フランス、イタリアなどをめぐり、昭和一一年三月一三日にマルセーユから榛名丸に乗船して帰国の途に就く。本の出版についてはすでに日本に連絡したようで、三月二五日には序文を書き、同三一日には「日露開戦説」を加えたいとか、定価は一冊五〇銭にし、東宝書店を新設してそこから出版することなどを指示する。

ロシアの演劇

ロシア革命は一九一七年（大正六）、小林一三が訪れたのはその一八年後である。「鉄のカーテン」のことばが用いられたのは後の東西冷戦時代だが、革命後のロシアも西側諸国からは霧で隔てられた謎の国であった。容易には訪れることが出来ないだけに、小林はすべての見聞を記録し、日本に発信しておこうとの、強い決意があったし、それ以上にすぐれた芸術、演劇を確認したいとの思いがあった。

一五日の朝モスクワに着くと、すぐさま午後から劇場付属の演劇学校を訪問し、生徒の人数、応募者数を聞き、バレー学校の見学もするなど、精力的に動き回る。現地の案内人もつくのだが、これは当然のことながら政府の監視でもあった。小林は単独行動ではなく、東宝職員の随行とともに、三井関係のさまざまなネットワークが、政府の役人とは異なる連携による国内案内の手助けをする。

モスクワ、レニングラード、ドニエプル発電所の工業地帯とめぐりながらも、演劇については詳細な記録をとどめる。とりわけ強く印象づけられたは、一六日に芸術座でトルストイの『復活』を見たときであった。「日本で見た『復活』とは、全然異なって、流石に本場だけあって始めから終わりまで息詰まるほど緊張して見た」と、その興奮のさまを記す。

劇場とは思えない質素な入口、三階建てで、客席は「彼是千二三百程度」、終演は一二時、それからホテルに帰って夕食というスケジュールである。この国のインテリ層が蝟集し、芝居に慰安を求め、翌日は平気で仕事に就くという高級性に驚きもする。六、七、八の三か月は休演するだけで、後は連日開演して、切符も簡単には取れない盛況ぶりである。しかも入場料は、けっして安くはない。

そこから小林は日本の演劇のありようを考え、有楽座で芸術本意の国民劇としての芝居ができるかどうかに思いがいたる。オペラ役者に芝居を教える「唄う劇場」の存在を知り、この方法はまさに宝塚少女歌劇の方針と共通すると納得もする。国立バレー劇場ではオペラの「アイーダ」を見、女優の技巧をほめ、オーケストラは一二〇人ばかり、ハープも二台あるなどと、舞台以外にも注視はおこたらない。

小林はロシアに限らず、各国の演劇、映画のすべてを吸収し、よいものを日本の活動に生かそうとする貪欲な思いで視察していく。舞台の演出を、このようにすればもっとよくなるのではとか、この装置を日本に取り込もうとか、自分でもこのテーマで脚本を書いて宝塚で試してみようなどと、小林はたんなる観光ではなく、学びの旅でもあった。帰国すると、東宝映画を創立し、劇場を建て、第一ホテルの開業、後楽園スタジアムの経営、発電所の開発など、ますます事業は拡大していく。後には帝劇も東宝に吸収し、黒澤明監督の『七人の侍』などの大作映画の製作に乗り出すなど、スケールの大きさを思わずにはいられない。

もっとも、留守中に勃発した二・二六事件は、家族が永田町に住んでいただけに、気が気ではなく、情報を求め、軍部や政治家たちの動向を収集するなど、政治にも無関心ではいられなかった。

榛名丸は四月一〇日に香港、一六日には関門海峡を通り、一七日に神戸港に帰着し、七か月にわたる旅行を終える。六月には、予定通り『私の見たソビエット・ロシヤ』は東宝書店から八〇銭で発売となった。

その後の小林は、昭和一五年七月に近衛（このえ）内閣の商工大臣となり、昭和二〇年一〇月には幣原（しではら）内閣のもとで国務大臣・戦災復興院総裁を勤め、公職追放を受けてしまう。茶道をきわめて本も出版し、美術品の収集もしていく。追放解除後は、ますます演劇・映画の改革に進み、さらに大きな夢をいだいていたが、昭和三二年に八四歳で永眠する。

伊井春樹（いい・はるき）
一九四一年生まれ。広島大学大学院博士課程修了。阪急文化財団理事・逸翁美術館長などを経て、現在は大阪大学名誉教授、愛媛県歴史文化博物館名誉館長。著書に『小林一三は宝塚少女歌劇にどのような夢を託したのか』（ミネルヴァ書房、二〇一七年）、『宝塚歌劇から東宝へ』（ぺりかん社、二〇一九年）、『人がつなぐ源氏物語』（朝日新聞出版、二〇二一年）など。

一九三〇年代のソ連社会

鈴木　義一（東京外国語大学大学院教授）

ソ連史における一九三〇年代

小林一三がソ連を訪問した一九三〇年代は、ソ連の政治・経済体制、社会関係の基本構造が確立した時代であった。[*1]

強力に推進された工業化の結果、一九二八〜三二年の第一次五カ年計画期にソ連の工業生産は年平均一〇・四パーセントの勢いで増加し、第二次五カ年計画の一九三三〜三七年には年率一五・八パーセントに及んだ。その結果、ソ連の工業生産は一九三二年までに一九二八年水準のおよそ一・五倍、一九三七年までに三倍に増大した。[*2] こうして工業国として確立する過程で、集権的指令経済の原型が形成された。主要な経済指標の目標数値を党・政府が決定し、工業部門ごとに分化した経済省を通じて生産財供給量と義務的生産量を配分し、国営企業にノルマの達成を義務付けるもので、このシステムの基本構造はソ連末期まで続いた。農業では、一九二九年から個人農経営の集団化が強行され、コルホーズと呼ばれた集団経営がソ連農業の基本的な経営形態となった。抵抗する農民は財産を没収して遠隔地に追放するなど、強制的に集団化を推進した結果、一九二八年一〇月の段階でわずか二・一パーセントだった集団化率は一九三三年一月までに六一・八パーセントに急増した。そして三七年には播種面積全体の九九・一パーセントがコルホーズに統合された。*3

このような急進的工業化と全面的集団化に反対した「右翼反対派」が失脚し、共産党内でスターリン派の支配が確立するとともに、「党＝国家体制」という独特な統治構造が形成された。党機構と国家機関の癒着が進み、党中央委員会政治局が最高意思決定機関として経済、外交、国防、治安など広範な分野の政策を決定し、党・政府の人事を掌握することを通じて党組織と政府機関を動かした。また、この統治の仕組みにより労働組合などの社会団体も党の統制下に置かれることになった。一九三六年に制定されたソ連憲法は、社会主義建設の基本的完了と階級対立のない社会の成立を宣言した。農業集団化の完成によってもはや搾取階級は存在せず、ソ連社会は労働者階級、コルホーズ農民、勤労的インテリゲンツィアという友好的な二つの階級と一つの階層によって構成されるとし、以後この図式はソ連の公式イデオロギーとなった。もちろん、実際のソ連社会は階層化された社会であり、階層間の格差や対立も顕著であった。同時に注目すべきは、階層間に上昇の回路が存在したことで、後述の「上からの革命」や「大テロル」も社会の流動性を高める原因であった。

「上からの革命」から相対的安定期へ

一九三〇年代が激動の時代であったことを考えると、小林がソ連を訪問した一九三五年がその中でどのような位置にあったかを確認しておく必要がある。三〇年代初頭の急進的工業化、農業集団化、スターリン派の支配確立による大変動は「上からの革命」と表現され、ソ連社会に激しい緊張をもたらした。しかし一九三四〜三六年には経済状態が改善し、国際環境も良好であったことから相対的に安定した時期であった。

第一次五カ年計画は生産財部門を重視し、野心的に設定された目標数値が、審議・実行の過程で次々と上方修正されたが、これに反対した経済機関の非党員専門家は「妨害者」として弾圧された。これに対して第二次五カ年計画はより低い成長率を目標とし、相対的に消費財部門にも配慮するものだった。工業生産の増加率をみると、一九三〇年には年率で一四・一パーセント、三一年に一五・九パーセントに達したものの、三二年には深刻な飢饉の影響もあって〇・一パーセント、三三年は二・四パーセントに低下した。しかし三四年になると二一・九パーセント、三五年には二四・六パーセントと高成長を記録した。[*4] その背景には、計画そのものの経済合理性とともに、第一次五カ年計画で新たに建設された設備がこの時期に本格的に稼働したことなどがある。

一九三〇年代初頭の急速な工業化は労働者数の急増をもたらした。新規労働力の多くは旧農民であり、農村から都市への大量の人口移動をともなった。一九三二年一二月に国内パスポート制度が導入され、農民にはパスポートが交付されないため制度上は移動の制限があった。しかし労働力は慢性的に不足し「売り手市場」であったため、実際には多くの農村住民が都市に流入できた。都市人口の急増は住宅問題を先鋭化し、治安も悪化した。生産財部門への重点的投資という要因もあって都市の消費生活は悪化し、モスクワで導入された食料配給制度は一九二九年までに全国の主要都市に拡大した。

しかし配給制度は生存に必要な食料の供給を保障するものではなく、人々は配給以外にも生活の糧を求めた。その一つが、本書で詳しく紹介されている「トルクシン（本文中トルグシン）」（全連邦対外国人商業連合）の店舗で、当初は骨董品や食料品などを外国人のみに外貨で販売するものだった。工業化の初期段階では工業設備の輸入が必要であり、輸入のための外貨を必要とした政府は、一九三一年にトルクシンの利用をソ連市民にも認めた。支払い手段は海外から送金された外貨や、貴金属類と引き換えに振り出される証書や「金ルーブル」で、一九三三年に店舗で購入された商品の八割が食料品であった。食糧事情が最悪であった三二〜三三年にはトルクシンの利用者は増大し、店舗数も増加した。その後消費財供給が増加すると、配給制度は段階的に縮小され、一九三五年にはパンの配給制が廃止された。トルクシンはその存在意義を失い、一九三五年末には金・銀・貴金属の受け入れを停止し、翌年二月にトルクシンの制度が廃止される。[*5] 三〇年代半ば以降になるとソヴィエト商業が拡大し、都市住民は新しい消費生活と消費文化を享受するようになる。

一九三六年までは政治面でも表面的には安定期であったが、一九三四年のキーロフ政治局員暗殺事件を契機に、「反革命勢力」の摘発が始まっていた。一九三六年七月の党中央委員会秘密書簡は、旧反対派がキーロフ暗殺のみならず「テロ活動」を企図し政権転覆の陰謀を行っていたと断罪し、あらゆる手段でこれと闘うことを呼びかけた。これ以降、古参党員が次々と逮捕・処刑され、密告と自白をもとに逮捕者は果てしなく拡大した。党と治安機関が主導したこの「大テロル」のピークは三七年と三八年で、さまざまな試算があるが、この二年だけで百数十万人が反革命罪で逮捕され、このうち数十万人が死刑となった。[*6]

ソ連社会の階層構造

一九三〇年代のソ連の経済と社会についての概観を踏まえ、ここでは社会的格差とジェンダーの問題に焦点を当てることで、この時代のソ連社会の特徴を考えてみたい。

ソ連のイデオロギーで平等が重視されたのは確かだが、賃金格差を否定するものではなかった。とくに三〇年代には、農村から大量に流入した非熟練労働力を統轄するために、労働効率と熟練度向上の刺激策として賃金格差による労働者管理の意義が強調され、出来高払いや成果主義による賃金格差が拡大した。こうした刺激策に加えて、「社会主義的競争」の運動への組織化が行われた。これは労働者集団が生産目標をあらかじめ設定し、その迅速な達成を競い合う運動で、勝者には賃金や現物供与による報奨が与えられた。一九三五年に始まる「スタハーノフ運動」もその一つだが、生産性向上により生産量ノルマを引き上げる運動として展開した点に特徴があった。

賃金格差が容認されたとはいえ、資本主義国の労働者と資本家の所得格差に比べるならば、ソ連の労働者と最上層エリートとの所得額の格差が微々たるものであったことは間違いない。しかし、ソ連の財やサービスの価格はその稀少性を示すものではなく、所得の多寡は格差を示す副次的な指標でしかなかった。三〇年代前半に食料配給制度が実施されたことはすでに述べたが、住民は所属する階層、居住する都市、産業分野などの基準に従って四つのリストとその下位区分のグループに分類され、傾斜配分方式により差別的な配給量が定められた。党・国家官僚や赤軍兵士にはこれとは別のリストがあり、農民や旧資産階級、聖職者などは配給制度から除外された。この配給制度とは別に、工場や職場に設置された食堂や店舗では、そこに勤務する労働者・職員に食事や消費物資が提供されたが、その質と量にも大きな格差があった。ソ連社会には「消費のヒエラルキー」が形成されていたのである。[*7]

この階層構造は配給制度を廃止して以降も継続した。ソ連では、消費財の価格は政府公定価格として安価に固定されたため、常に需要超過の状態で、一般の商店では物不足と行列が日常的な光景であった。通常、勤労者はこれに加えて職場に設置された店舗や労働組合を通じて消費財を購入しており、ほかに利用資格が限定された商店もあった。こうして供給される消費財の質と量はその企業・組織や利用者の社会的地位によって決まり、価格はほとんど意味をなさない。このしくみは消費財の供給だけでなく、病院やレジャー施設等の利用、住宅や耐久消費財の取得など消費生活全般に及んだ。社会的な地位に応じた消費財へのアクセス権の階級構造が消費生活の水準を規定したのである。

ジェンダー

女性の参政権に関しては、一九一八年の憲法でも、三六年のソ連憲法でも、男女に等しく選挙権を付与している。また、三〇年代を通じて女性の就業率は上昇し、労働力不足もあって労働者・職員に占める女性の比率は四〇年には三九パーセントに達した。ソ連では、当時の「女性解放運動」

の課題は制度的にはもちろん、実態としてもほぼ実現していたといえる。

帝政時代の家父長的な家族制度を批判したロシアの革命家は、男女平等や女性の社会参加を求めただけでなく、家族という社会関係自体を「ブルジョア的」とみなし、「家族死滅論」や「家事・育児の社会化」を主張した。こうした理念のもとに、一九一八年の家族法典は婚姻を教会から切り離して世俗化するとともに、離婚を容易にした。女性と男性があらゆる面で法的に同権と定め、二〇年には妊娠中絶を合法化した。二六年に採択されたロシア共和国家族法典は事実婚主義を採用するとともに、離婚はいずれか一方の届け出のみで成立することになり、離婚手続きを極端に容易化した。これは離婚を望む女性にとっては救いであるが、他方で無責任な男性が一方的に女性を捨てることも可能となる制度である。

「上からの革命」の時代は、「ブルジョア的」理論の排撃と「プロレタリア的」理論の提唱が広範な分野で展開し、「家族死滅論」がもてはやされたが、三〇年代半ばになると家族強化論に傾く。急速に進む工業化と都市化によって女性の就業率が上昇するとともに、離婚率の増大と出生率の低下が起こり、妊娠中絶も増大したことが背景にある。三六年六月の法律は、二六年の家族法典による極端に容易な離婚手続きを変更した。同時に出産奨励のために多子母手当の導入と出産休暇の延長を決定し、妊娠中絶は禁止された。第二次大戦中の四四年七月には明確な登録婚主義に転換し、離婚手続きには必ず裁判を要するようになった。[*8] これ以降もソ連のジェンダー・家族をめぐる政策は揺れ動くが、小林がソ連を訪問したのは、家族論をめぐる最初の転換の時期にあたる。

〈注〉

＊1　一九三〇年代のソ連について詳しくは松井康浩・中嶋毅編『ロシア革命とソ連の世紀2　スターリニズムという文明』（岩波書店、二〇一七年）、横手慎二『スターリン「非道の独裁者」の実像』（中公新書、二〇一四年）、田中陽兒・倉持俊一・和田春樹編『世界歴史大系　ロシア史3』（山川出版社、一九九七年）などを参照。本稿の記述もこれらの研究に依拠している。

＊2　栖原学『ソ連工業の研究　長期生産指数推計の試み』（御茶の水書房、二〇一三年）二九三、三三四頁。

＊3　日臺健雄「農業集団化　コルホーズ体制下の農民と市場」『ロシア革命とソ連の世紀2　スターリニズムという文明』六九頁。

＊4　栖原学、前掲書、二九三頁。

＊5　*Осокина Е. А.* За фасадом «сталинского изобилия»: Распределение и рынок в снабжении населения в годы индустриализации. 1927-1941. –М: РОССПЭН, 1991. –С. 160-167.

＊6　塩川伸明「盛期スターリン時代」『世界歴史大系　ロシア史3』二一七頁、同『終焉の中のソ連史』（朝

日選書、一九九三年）三六八―三六九頁。

＊7　松井康浩「総説　スターリン体制の確立と膨張」『ロシア革命とソ連の世紀2　スターリニズムという文明』一六―一七頁。

＊8　塩川伸明「ソ連史におけるジェンダーと家族」『世界歴史大系　ロシア史3』四八一―四八五頁。

鈴木義一（すずき・よしかず）
一九六一年生まれ。東京大学大学院博士課程単位取得退学。東京外国語大学外国語学部教授などを経て、現在同大学大学院総合国際学研究院教授。専門は比較経済史、ロシア経済論。論文に「「計画化」という「実験」」『現代思想』四五巻一九号（二〇一七年）、「経済制裁下のロシア社会」『ロシア・ユーラシアの経済と社会』一〇二一号（二〇一七年）など。

私の見たソビエット・ロシア〈復刊〉

2021年5月25日　初版第1刷発行

著　者　小林一三
発行者　阿部黄瀬
発行所　株式会社　教育評論社
〒103-0001
東京都中央区日本橋小伝馬町1-5　PMO日本橋江戸通
TEL 03-3664-5851
FAX 03-3664-5816
http://www.kyohyo.co.jp
印刷製本　萩原印刷株式会社

ISBN 978-4-86624-039-8　C0095